CURSO DE ESPAÑOL PARA

LOLA y LEO 2

MARCELA FRITZLER
FRANCISCO LARA
DAIANE REIS

difusión

Autores
Marcela Fritzler, Francisco Lara, Daiane Reis

Revisión pedagógica
Agustín Garmendia, Pablo Garrido

Coordinación editorial y redacción
Clara Serfaty

Diseño y maquetación
La japonesa

Ilustraciones
Montse Casas (Ilustraciones Monsuros)
Excepto: Unidad 0: p. 10 Booka1/iStockphoto, p. 13 www.literautas.com, juegos.cuidadoinfantil.net, Banderas de todos los países, dadenlostalones.blogspot.com, www.conmishijos.com, p.15 Banderas de todos los países, Electric Playground Network, mehmettezcan.net, Nexus–WordPress.com, Pixelkin, Pokémon Wiki–Wikia, Vecteezy, Macrovector/Dreamstime, Drijan/Dreamstime, Ratch0013/Dreamstime, generacionplayer.blogspot.com. **Unidad 1:** p. 22 Diario de una Novia. **Unidad 3:** p. 39 adelantemisescritores.files.wordpress.com, p. 45 Ecuador Noticias, estebanmejiaortiz5c.blogspot.com. **Unidad 6:** p. 69 www.conceptdraw.com, www.powerpadel.com, www.freepik.es, p.73 www.bebesymas.com.

Fotografías
Llorenç Conejo Vila (llorco.com)
Excepto: Unidad 0: p. 13 Miroslav Ferkuniak/Dreamstime.com, pasionciclista.es, Biotrendies, Eres Mamá, recetas-gratis.net, www.petwebsite.com, www.new–muslims.info, Facilísimo, p. 15 airdone/iStockphoto. **Unidad 1:** p. 21 www.manualidadesinfantiles.org, artecontusmanitas.wordpress.com, p. 24 Matthias Ziegler/Dreamstime.com, Tatyana Chernyak/Dreamstime.com, p. 25 Ideas Para Cocinar de Kiwilimon. **Unidad 2:** p. 31 Difusión, p.35 canariasenhora.com. **Unidad 3:** p. 45 Wikimedia Commons, ecuadorpotensiaturistica.blogspot.com, zoosanti reptiles. **Unidad 4:** p. 49 www.brassawe.com, www.panoramio.com, krokotak.com, p. 55 A Todo Momento, Elena Tumanova/Dreamstime, Difusión, fiestapaper.agenciareinicia.com, mueblesueco.com, wiccareencarnada.net, www.elcorteingles.es, www.industriasdelplastico.com, www.mieldelvalledelospedroches.com, www.saludnat.com, www.tecnoalimen.com. **Unidad 5:** p. 58 y 62 www.taringa.net, animalitostucupita.wordpress.com, pngimg.com, Iakov Filimonov/Dreamstime, Alle/Dreamstime, Anton Starikov/Dreamstime, Tanteckken/Dreamstime, pngimg.com, Loshadenok/Dreamstime, p.59 boggy22/iStockphoto, Mordolff/iStockphoto, herjua/iStock, p.60 loveat.es, Delphotostock/Fotolia, www.catedraecoembes.upm.es, Egon Zitter/Dreamstime, www.coopsandcages.com.au, www.landandrivers.com, p. 60 y 62 www.pinterest.com, www.biosano.es, boroa.com, p. 61 Corepics Vof/Dreamstime, www.quesosbenabarre.es, www.acs.org, Valeriy Kirsanov/Dreamstime, Somadlyinlove/Dreamstime.com, fisterrabicicleta.com, Difusión, Community Chickens, www.clasf.co.ve, www.motivar.com.ar, www.fotoswiki.net, Warren Photographic, gustos–personales.blogspot.com, p.65 http–//dbimaginarte.blogspot.com.es/, www.ebay.com, mercadolivre.com.br, www.wikiart.org, www.dltk-holidays.com, lasalamandrazul.blogspot.com. **Unidad 6:** p. 68 www.gonzoo.com, www.aliexpress.com, www.zingerbug.com, fotosdecarrosdeportivos.com, www.taringa.net, p. 69 es.pinterest.com, www.polavide.es, mimemoria.net, fisgaofertas.blogspot.com, Imgorthand/iStockphoto, nullplus/iStockphoto, p. 71 www.manualidadesinfantiles.org, www.manualidadesinfantiles.org, 8000vueltas.com, wiboo prueba.com, Destino Alemania, Destino Alemania, Wikiwand, DUBAadiction–WordPress.com, p. 72 www.cruceroalegre.com, www.gonzoo.com, biosphereflux.com, www.viajejet.com, motosnovas.com.br, p. 73 bebesymas, p.75 México en Fotos, Viajes por el Mundo–Tumblr, Banco de Imágenes Gratis, Living Magazine, Living Magazine, Felices Vacaciones.
Recortables: p. 95 jorgeluisnunez.blogspot.com, articulo.mercadolibre.com.ar, www.diariomotor.com, forotransportes.com, www.viajejet.com, www.codebox.es, www.mascoche.net, www.cruceroalegre.com, fondos.wallpaperstock.net, www.russianhelicopters.aero, www.taringa.net, transformacionesvaltoron.wordpress.com, biospherefux.com, diario.latercera.com, www.barcosdeocasion.net.

Música
Joan Trilla Benedito

Cantantes
Sílvia Dotti, Joan Trilla Benedito

Letras de las canciones
Marcela Fritzler, Francisco Lara, Daiane Reis

Locuciones
Estudio Difusión (Barcelona), Silent Media S. L. (Sevilla). **Locutores:** Sílvia Dotti, Joan Trilla, Irene González , Zafirah Sarhandi, Luis González, Antonio Morillo, Carolina Ramos, Alonso Bernal, Luis González, Olga Martínez, Nicolás Morillo, Carmen Sánchez, Manuel García, Juan Carlos Serrano, Jimena Gala, Diana Palafox, Santiago Fernández, Juan Pablo Fernández, Pablo Fernández, Tomás Fernández

Corrección
Marta Martínez Falcón

Agradecimientos
Alexandra Gimeno, Eva Martí, Arturo Gimeno, Guillem Gimeno, Carolina Ramos, Susanne Höppner, Flora Mendoza, Liliana Aragón, Guadalupe Vinueza, Luis Mateo Díaz

Esta obra está basada en el enfoque metodológico concebido por los autores de *Zoom* (Editions Maison des Langues).

difusión
Centro de Investigación y Publicaciones de Idiomas, S. L.

C/ Trafalgar, 10, entlo. 1ª
08010 Barcelona - España
Tel.: (+34) 932 680 300
Fax: (+34) 933 103 340
editorial@difusion.com

www.difusion.com

Reimpresión: junio 2017
ISBN: 978–84–16347–71–1
Impreso en Barcelona por Novoprint

BIENVENIDOS A LOLA Y LEO

Este manual es fruto del trabajo, la dedicación y la pasión por la enseñanza del español a niños. Todas las personas involucradas en el proyecto –los autores, la ilustradora, el equipo editorial y los numerosos profesores que lo han probado– hemos trabajado codo con codo compartiendo nuestros conocimientos y experiencias para plasmarlos en esta nueva aventura.

Estamos, en definitiva, muy contentos porque con Lola, una niña española, y Leo, un niño mexicano, deseamos aportar nuestro granito de arena a la enseñanza del español a niños con un manual vivo y motivador que esperamos cautive a profesores y alumnos con su universo visual, sus dinámicas, su música y sus numerosos recursos para el profesor.

Un abrazo de Lola, Leo, Marcela, Francisco y Daiane.

Marcela Fritzler

Francisco Lara

Daiane Reis

LOS ICONOS DE LOLA Y LEO

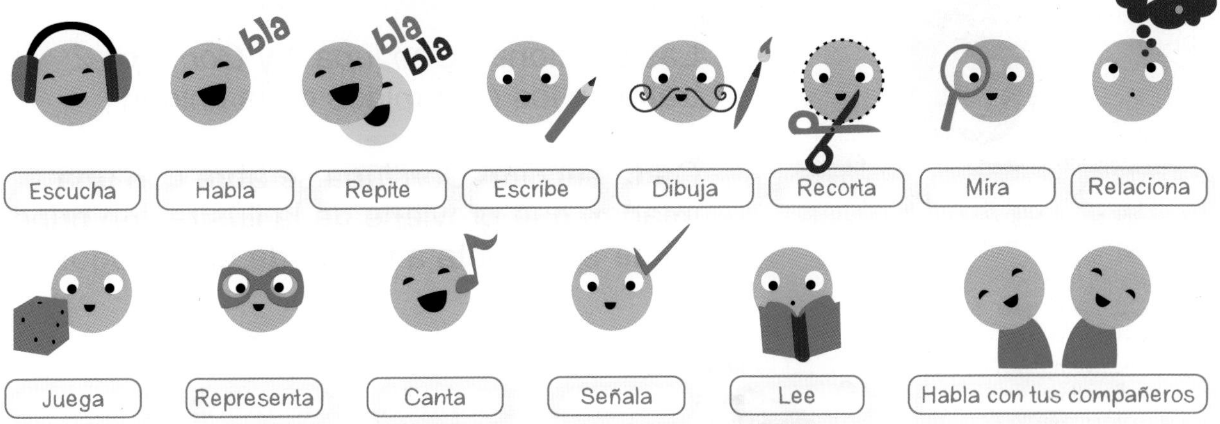

Lola y Leo 2 cuenta con contenidos digitales extra:

lolayleo.difusion.com

- las pistas de audio
- las letras de las canciones (pdf)

campus difusión

- las pistas de audio
- las letras de las canciones (pdf)
- los apartados de gramática visual (pdf)
- el apartado de material recortable (pdf)

CÓMO SON LAS UNIDADES DE LOLA y LEO

LA PÁGINA DE ENTRADA

Cada unidad se abre con una ilustración a doble página representativa de los contenidos de la unidad.

Contiene una pista de audio con sonidos para activar los conocimientos previos de los alumnos.

LAS LUPAS

Las secciones *Con lupa 1* y *Con lupa 2* trabajan los contenidos de la unidad.

Cada sección *Con lupa* se abre con una imagen que proviene de la ilustración principal y que se explota a través de un diálogo.

Después, el estudiante practica leyendo, representando, escuchando, pintando, recortando, cantando...

Las actividades colaborativas y dinámicas se presentan bajo el título **Ahora tú**.

El apartado **Un poquito más** está pensado para ofrecer contenidos extra.

MIS PALABRAS

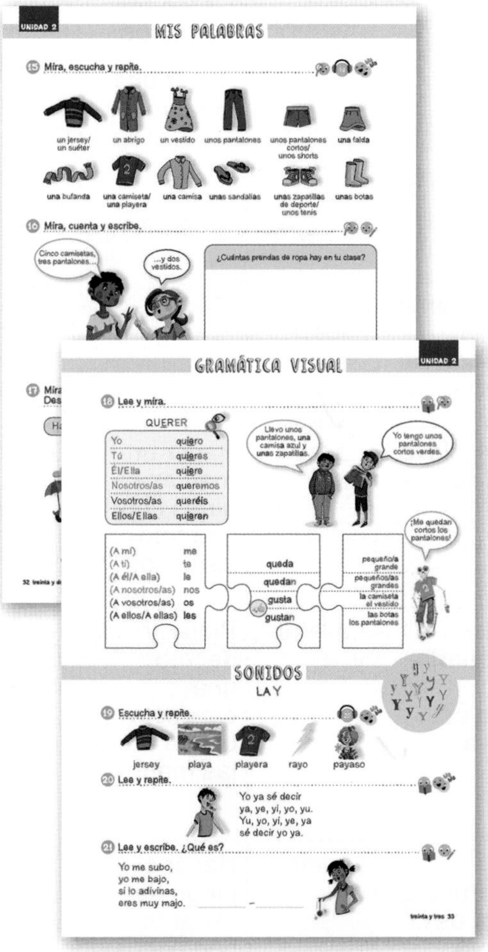

La sección *Mis palabras* está destinada a trabajar el léxico de la unidad con juegos, audios, actividades de colorear...

GRAMÁTICA VISUAL Y SONIDOS

La sección *Gramática visual* está concebida para que los alumnos aprendan la gramática de una manera más clara, descriptiva y lúdica. El aprendizaje se refuerza mediante el uso de ilustraciones, colores y formas.

La sección *Sonidos* trabaja la fonética y hace hincapié en las letras más difíciles del español.

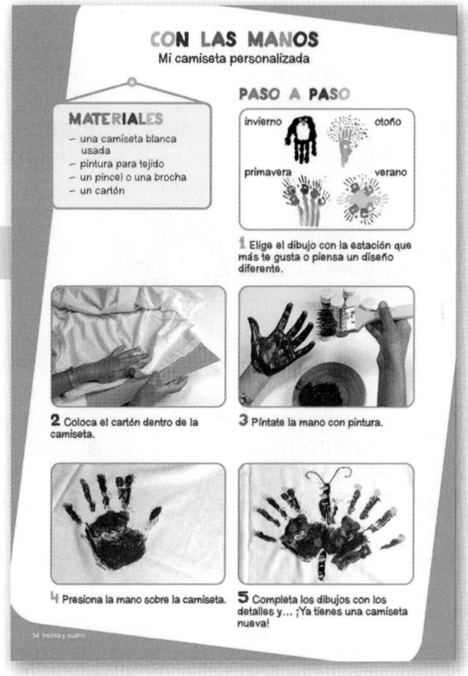

CON LAS MANOS

La sección *Con las manos* ofrece una actividad manual para hacer en clase.

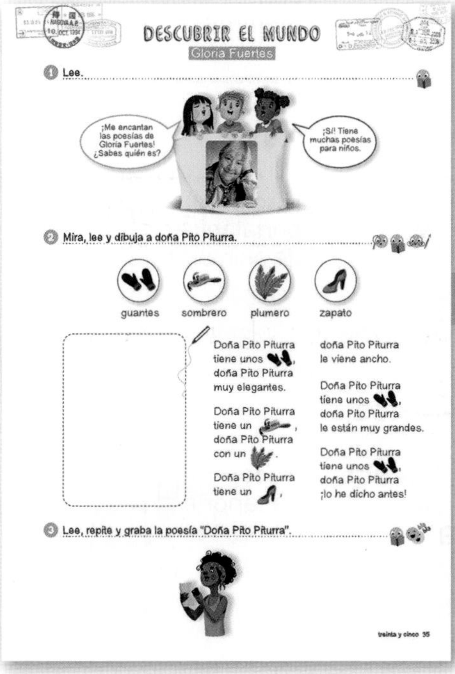

DESCUBRIR EL MUNDO

Las sección *Descubrir el mundo* cierra la unidad con un tema dedicado a la cultura.

... ¡Y MÁS!

Un anexo de material recortable para hacer divertidas actividades.

TABLA DE CONTENIDOS

	Comunicación	Léxico	Gramática	Sonidos	Con las manos	Descubrir el mundo
0. ¡QUÉ SORPRESA!	• Saludar y despedirse. • Dar información personal. • Hablar sobre la familia. • Hablar de gustos y de preferencias. • Expresar emociones y estados de ánimo.	• El abecedario. • Saludos y despedidas. • Los colores. • Países y nacionalidades. • Los números del 0 al 30. • La familia. • Los objetos de la clase y los instrumentos musicales. • La casa y los muebles. • La comida y la bebida. • Las mascotas.	• **¿Cómo**...? **¿Qué**...? **¿Dónde**...? **¿Cuál**...? **¿Cuántos/as**...? • El presente de indicativo regular y algunos verbos irregulares: **tener**, **jugar**, **haber**... • **Gustar** y **encantar**. • La concordancia.		Hacer una marioneta.	Historia de los videojuegos.
1. EL EQUIPO DEL BARRIO	• Describir físicamente a una persona.	• Las partes del cuerpo. • Adjetivos para la descripción física.	• **Ser**, **tener** y **llevar**. • La concordancia.	La letra **g**.	Hacer un marcapá-ginas con una foto personal.	Día de Muertos en México.
2. EL ROPERO DE LEO	• Expresar gustos. • Describir la ropa y hablar de cómo le queda a una persona. • Hablar del clima y de las estaciones.	• Las prendas de vestir. • Los accesorios. • Las estaciones del año y el clima.	• **Querer**. • **Gustar** y **quedar**. • Verbos impersonales: **hace**, **nieva**, **llueve**.	La letra **y**.	Pintar y decorar una camiseta usada con las manos.	La poesía de Gloria Fuertes.
3. LA FIESTA DEL COLEGIO	• Expresar la hora. • Expresar rutina y acciones habituales. • Referirse a acciones que están sucediendo. • Expresar dirección y movimiento.	• La hora y las partes del día. • Juegos y actividades cotidianas.	• **Hacer**. • **Estar** + gerundio. • **¿Qué hora es?** / **¿A qué hora es**...? • **Ir a** + sustantivo. • **A** + **el** = **al**. • El presente de indicativo.	La letra **c**.	Hacer el juego de los aros con platos de cartón.	Conocer Ecuador.
4. EL BARRIO DE LEO	• Describir un barrio. • Pedir permiso. • Preguntar y decir la dirección. • Hablar sobre seguridad vial y reciclaje. • Situar en el espacio.	• Establecimientos y lugares del barrio. • Los números del 31 al 100. • Algunos elementos de seguridad vial. • El reciclaje, los contenedores y la basura.	• **Poder** + infinitivo. • **Estar** + **detrás de**, **delante de**, **cerca de**, **lejos de**, **al lado de**, **en**.	La letra **h**.	Hacer un juego de habilidad con material reciclado.	El reciclaje.
5. ¡VAMOS A LA GRANJA!	• Describir animales. • Describir actividades rutinarias en una granja. • Expresar intenciones.	• La granja: los animales, las tareas y las instalaciones. • Materias primas y productos derivados de los animales de la granja.	• **Dar**. • **Ir a** + infinitivo. • El presente de indicativo.	La letra **v**.	Hacer un portalápices de animales.	La vida de campo en el arte: Florencio Molina Campos y Tarsila do Amaral.
6. VACACIONES EN MÉXICO	• Describir los medios de transporte. • Comparar. • Hablar de planes.	• Los medios de transporte. • Adjetivos para comparar medios de transporte. • Actividades de tiempo libre. • Accidentes geográficos.	• **Ir en**... / **ir a**... • **Ir de**... **a**... • **Ir a** + infintivo. • **Más**... **que**...	La letra **b**.	Hacer un pasaporte.	La naturaleza en México.

ÍNDICE

UNIDAD 0

¡Qué sorpresa! 1

MVL- 009 - B

¡QUÉ SORPRESA!

1 Escucha y contesta. Después recorta y representa.

¿Qué personajes hablan?

Lola ✓ | Tío Calavera | Lupe ✓ | Leo ✓ | Carlos

¿A dónde va a ir Lola en vacaciones?

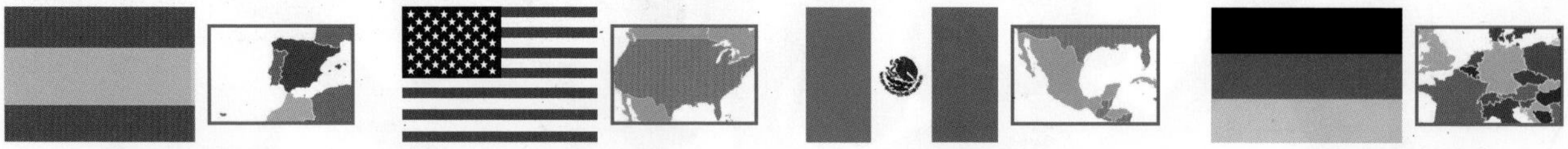

España | Estados Unidos | México ✓ | Alemania

¿Cómo está Lola?

triste | contenta ✓ | aburrida

2 Busca en las páginas 8 y 9, completa el dibujo, colorea y escribe.

¿Qué es?

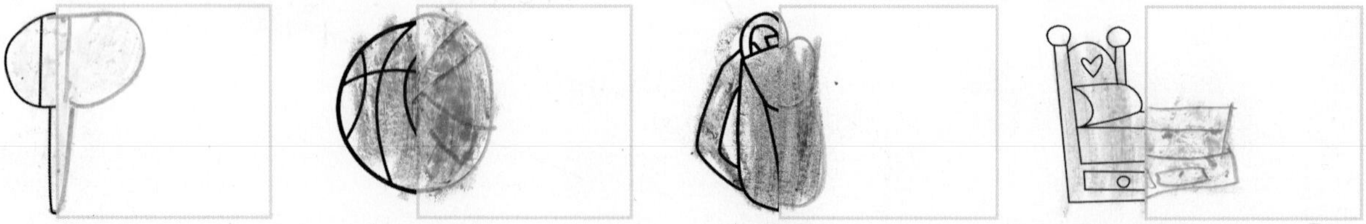

Es una piruleta amarilla. | Es una pelota naranja. | Es una mochila verde. | Es una cama rosa.

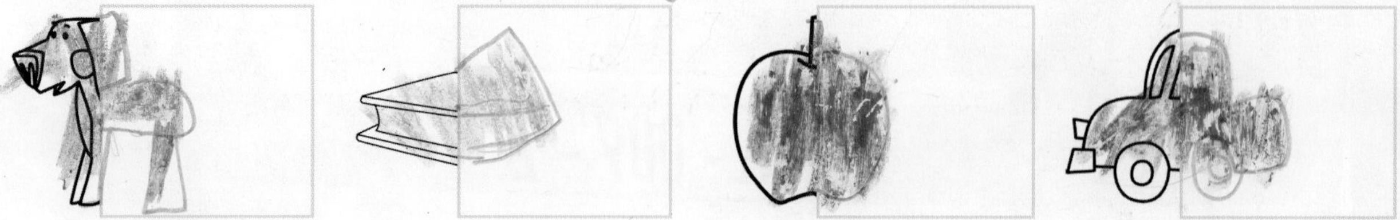

Es una perro café. | Es una libro azul. | Es una manzna roja. | Es un carro rojo.

3 Lee, escribe y juega.

letra	escuela	casa	comida/bebida	animales	puntos
a	x	armario	atún	x	2
c	cartulina	cama	coco	conejo	
g	gomma	guitarra	garbanzo	gusano	
l	lápiz	lata	limon	lagarto	
m	masa	mantel	mango	mamut	
p	puerta	pallo	platano	parico	
s					
t					
				TOTAL:	

Yo tengo ____________ puntos. | Mi compañero tiene ____________ puntos.

4 Juega con los globos y con tus compañeros.

1. En un globo escribe tu nombre y un número del 0 al 30.
2. Lanza tu globo al aire y coge otro.
3. Responde:
   – ¿De quién es?
   – ¿Cuál es el número?
4. Colocaos en orden según los números y repetidlos.

Este globo es de Lucas. Es el número veinticinco.
25
12
8
19
4
A ver... ¡Elisa! ¡El ocho!

5 Ahora tú Escucha, lee y canta: *La ranchera del abecedario.*

3

Mexicano, mexicano
mi hermano Leo es.
Rancheras yo le canto.
A, B, C, D, E.

Y Jaleo, nuestro gato,
juega con su pelota.
Es marrón y muy bonito.
F, G, H, I, J.

Y el tío Calavera
siempre va y siempre viene.
La guitarra toca y toca.
K, L, M, N.

Española, es española
una niña como tú.
Lola se llama mi prima.
Ñ, O, P, Q.

Piñata es su perro
y siempre quiere comer.
Juega y juega todo el día.
R, S, T.

Con guitarra, con maracas,
con tambor, el redoble.
Canta y baila esta canción.
U, V, W.

Aprende con Leo y Lola
y usa todas las letras.
Mexicano y española.
X, Y, Z.

6 A. Recorta, lee y responde.

La B. ¿Cómo se llama el gato?
¡Jaleo! Ahora tú. La G. ¿Qué come Pablo?

A. ¿Cuántos hermanos tiene Lola?
B. ¿Cómo se llama el gato?
C. ¿Cuántas bicicletas hay en la plaza?
D. ¿Qué tiene Leo en la mano?
E. ¿Qué instrumentos hay en la clase de música?
F. ¿Dónde están Chavela y Lupe?
G. ¿Qué come Pablo?
H. ¿Qué animales te gustan de la tienda de mascotas?

B. **Ahora tú** Mira y pregunta más cosas sobre Lola y Leo.

7 Escucha y completa las fichas de Lola y Leo.

Lola

Edad: 8 ocho
Nacionalidad: española
Ciudad: Sevilla
Familia: Rosa, Pepe, Curro, et Pablo.
Mascota: Piñata
Gustos: música, fútbol, Internet, hablar con leo.

Leo

Edad: 10 diez
Nacionalidad: mexicano
Ciudad: Puebla
Familia: lupe y Carlos (padres)
Mascota: Jaleo (Gato),
Gustos: escuchar música, jugar con sus amigos, bailar

* Chabela y Felipe (abuelos) calavera (tío) Sara (hermana)

8 Crea un póster. Dibuja un árbol y escribe sobre ti y tus gustos.

Materiales:
- fotos
- cartulina
- papel de colores
- tijeras
- pegamento
- rotuladores

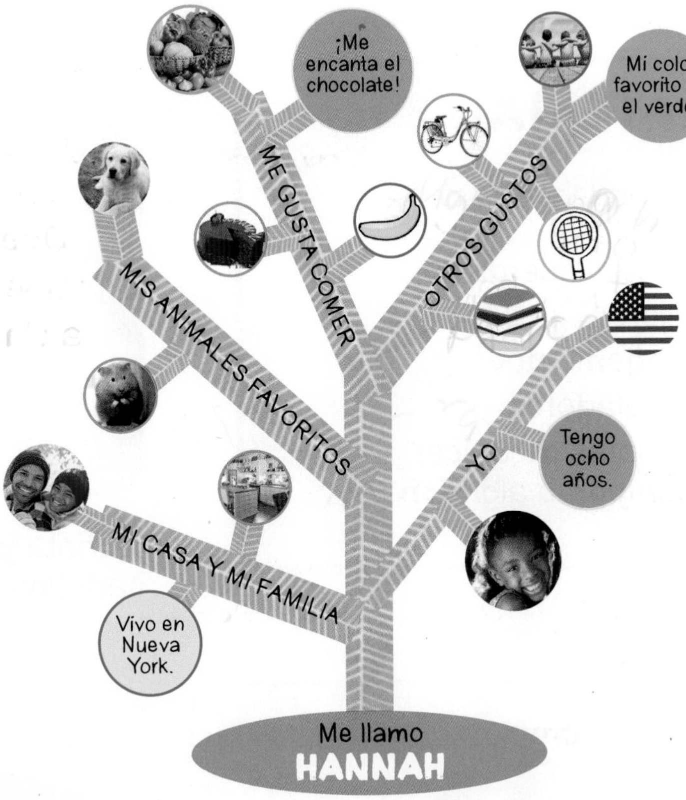
¡Me encanta el chocolate!
Mi color favorito es el verde.
ME GUSTA COMER
OTROS GUSTOS
MIS ANIMALES FAVORITOS
YO
Tengo ocho años.
MI CASA Y MI FAMILIA
Vivo en Nueva York.
Me llamo
HANNAH

9 Ahora presenta tu póster a tus compañeros.

Hola, me llamo Hannah.
Tengo ocho años y soy de Estados Unidos.
Vivo en Nueva York con mi padre y mi hermano.
Mi color favorito es el verde.
Tengo un perro y un hámster.
Me encanta el chocolate
y me gusta jugar con mis amigos.

10 Escribe la información de la marioneta que has hecho en *Con las manos*. lluvia

¡Hola! Mi marioneta se llama
Puppet Jr.
y es amiga.
Tiene 10 min.
Le gusta casa
No le gusta lluvia

CON LAS MANOS

Mi marioneta habla español

MATERIALES

- un calcetín
- cartulina
- lana o cuerda
- tijeras
- pegamento
- rotuladores
- pelotas de unicel, pimpón o algodón

PASO A PASO

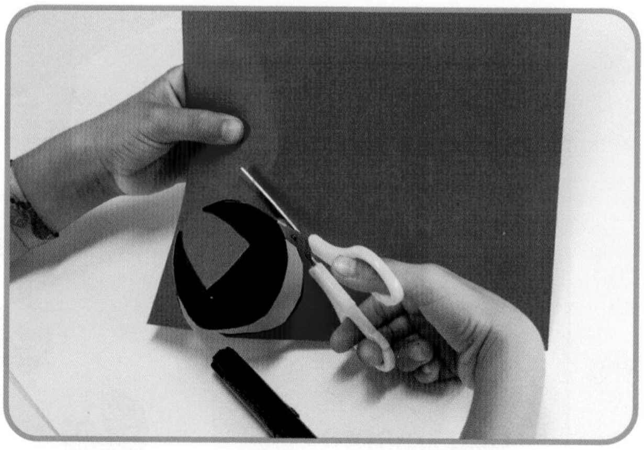

1 Pinta y recorta una boca en cartulina.

2 Pégala en la parte superior del calcetín.

3 Dibuja los ojos y pégalos encima de la boca.

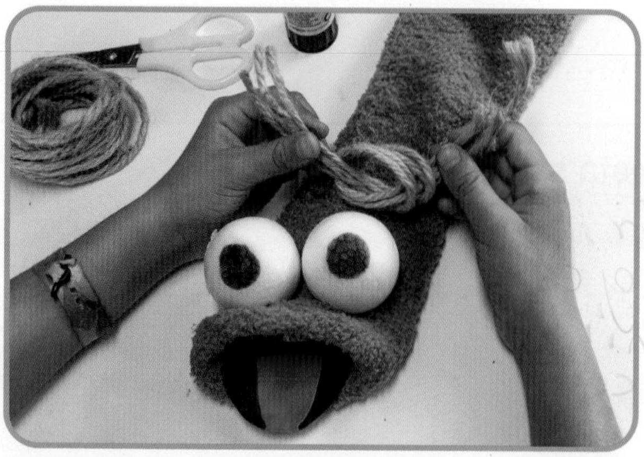

4 Prepara el pelo con hilos o cuerdas y pégalo sobre los ojos.

5 ¡Listo! Presenta tu marioneta en clase.

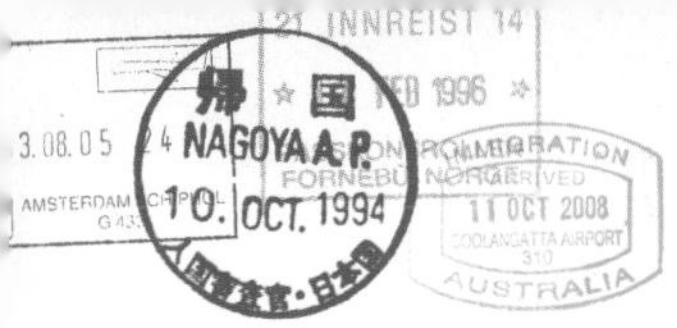

DESCUBRIR EL MUNDO

Yo ♥ los videojuegos

1 Escucha y completa. 5

¡Hola! Soy Curro y Me encanta los videojuegos. Juego solo o con mi hermana Lola después de Hacer los deberes.

me gusta jugar al FIFA y al Pokémon. Y a ti, ¿te gustan los videojuegos?

2 Lee la información sobre estos videojuegos.

Hay muchos videojuegos creados en Japón. Algunos son muy antiguos, pero todavía son populares y niños y niñas de todo el mundo juegan con ellos. ¿Conoces estos videojuegos? Mira el nombre y el año de creación.

Pac–Man	Super Mario Bros	Gran Turismo	Wii Sports	Pokémon GO
1980	1985	1997	2006	2016

3 Elige un videojuego que te guste y crea un póster con información e imágenes sobre él.

¿Cómo se llama?

¿Hay un personaje principal?

¿Cuántas veces a la semana juegas?

¿Dónde juegas: en el móvil, tableta, tele u ordenador?

¿Juegas solo o con amigos?

El equipo del barrio

6

TORNEO DE BARRIO
SOL DE SEVILLA
GENIOS DE SEVILLA
Sábado 9 a las 16:30
3
8
7
5
1
10
12

CON LUPA 1

1 Mira y escucha. 7

2 Mira, lee y dibuja la parte de la cara que falta.

los ojos | la nariz | las orejas | la boca | el pelo

3 Mira, lee y escribe.

¿Cómo es?

- Es →

moreno/a | castaño/a | rubio/a | pelirrojo/a

- Tiene
  - el pelo →

corto | largo | rizado | liso

  - los ojos →

negros | marrones | verdes | azules

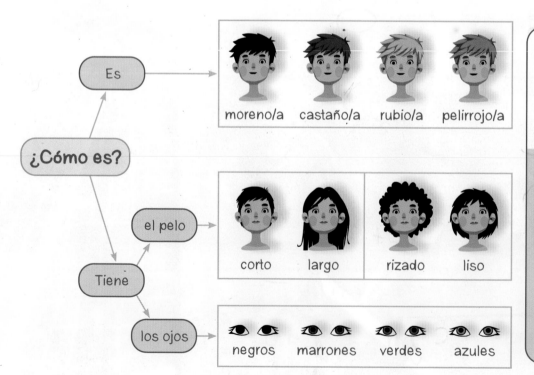

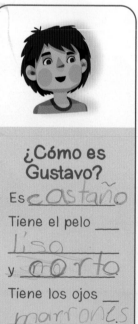

¿Cómo es Gustavo?

Es castaño

Tiene el pelo liso

y corto

Tiene los ojos marrones

4 Escucha y relaciona. 8

1
4
2
3

5 Mira, lee y escribe verdadero (V) o falso (F).

La entrenadora del equipo de fútbol de Lola...

(F) **a.** Tiene el pelo largo y liso.

(V) **b.** Es morena.

(V) **c.** Tiene los ojos marrones y grandes.

(V) **d.** Tiene la boca grande y la nariz pequeña.

6 Ahora tú Completa las frases y dibuja.

Megam 199

¿Cómo es tu ~~profesor~~ de español?

Se llama Julia.

Es rubia y largo

Tiene seis (6) años

______________________.

7 Recorta las tarjetas y juega con tu compañero.

Es morena. Tiene el pelo corto y los ojos marrones.
¿Es Rosa?
¡Sí!

Un poquito más

Lleva...

coleta | bigote | barba | gafas

CON LUPA 2

8 Mira y escucha. 9

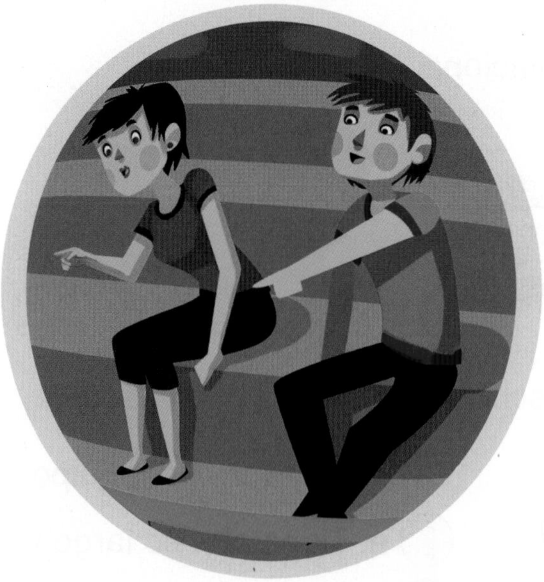

9 Mira, lee y dibuja las partes del cuerpo según las descripciones.

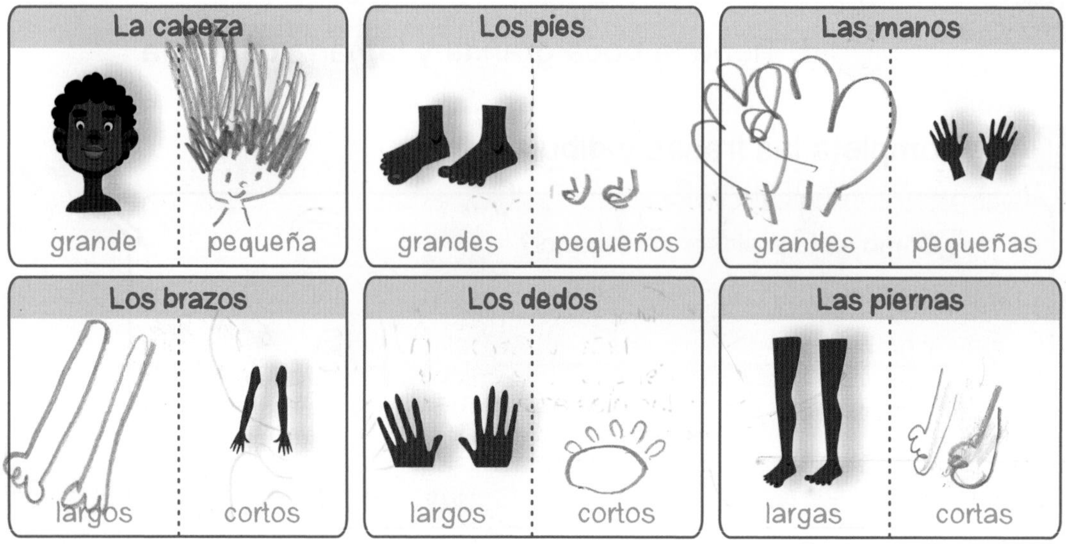

10 Mira, lee y completa las frases con alto, alta, bajo, baja.

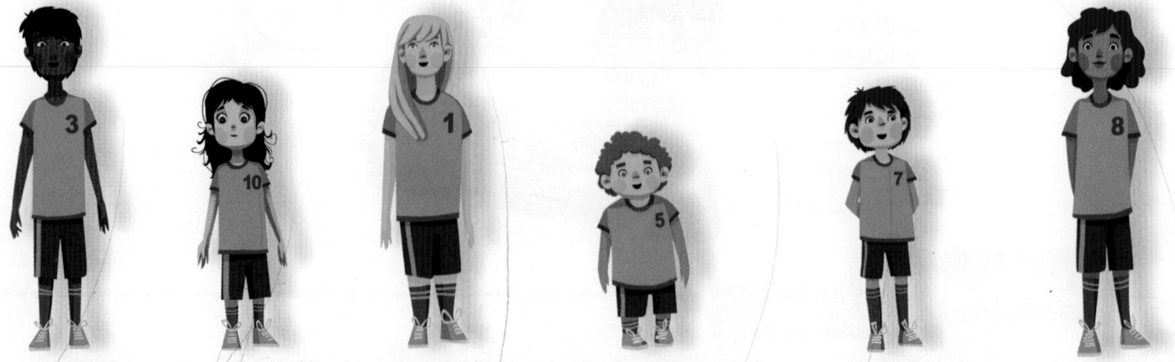

Gerardo es **alto** y moreno.

Lola es **baja** y morena.

Arancha es alta y tiene el pelo largo.

Fernando es bajo y pelirrojo.

Gustavo es bajo y tiene el pelo castaño.

Gisela es alta y tiene el pelo corto.

CON LUPA 2

11 **Mira y completa. ¿Qué partes del cuerpo utilizan estas personas para hacer estas actividades?**

1. Para nadar, Luis utiliza 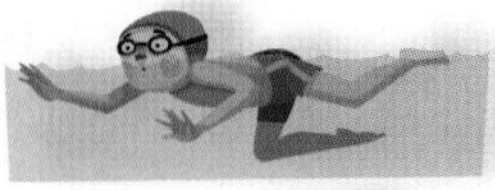 los brazos y las piernas.
2. Para leer un libro, Marta utiliza  ojos y Jorge  manos
3. Para jugar al baloncesto, Nina utiliza  las manos.
4. Para jugar al fútbol, Raúl utiliza  pies y Laura  la ca.beza
5. Para hablar, Greta utiliza  boca y Teo  manos.

12 **Ahora tú** **Crea tu personaje, escribe y preséntalo.**

Margarita es baja y castaña. Lleva coleta. Tiene la boca grande y los ojos azules. Tiene las manos pequeñas y las piernas cortas.

13 **Ahora tú** **Escucha, lee y canta: *Me gusta mi cuerpo*.** 10

Me gusta mi cuerpo.
Tiene una cabeza
para soñar,
con una boca para cantar.
Me gusta mi cuerpo.
Me gusta mi cuerpo.

Y ahora me voy a jugar.
Me gusta mi cuerpo.
Tiene dos ojos
de niño curioso
y una nariz para ser feliz.

Me gusta mi cuerpo.
Piernas, pies,
brazos y manos...
y dedos también.
Me gusta mi cuerpo.
Y ahora me voy a jugar.

Un poquito más

la mano derecha — la mano izquierda — el pie derecho — el pie izquierdo

la mano izquierda — la mano derecha — el pie izquierdo — el pie derecho

MIS PALABRAS

14 Mira, escucha y repite.

15 Mira, relaciona con el opuesto y escribe.

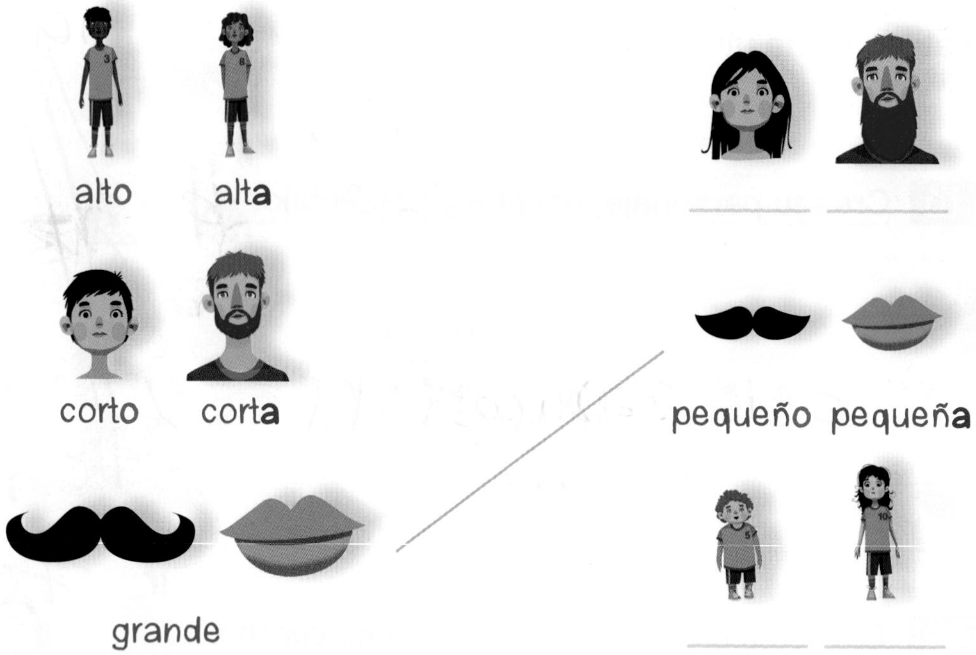

16 Recorta y juega con tus compañeros.

Tres jugadores:
- Uno tira el dado y elige una tarjeta.
- Los demás siguen sus instrucciones.

Max, el pie derecho en el azul...
...y la mano izquierda en el verde.
¡Mira! Ya está.
¡Ay! Yo no puedo...

GRAMÁTICA VISUAL

17 Lee y mira.

SER

yo	**soy**
tú	**eres**
él/ella	**es**
nosotros/as	**somos**
vosotros/as	**sois**
ellos/ellas	**son**

TENER

yo	ten**go**
tú	t**ie**n**es**
él/ella	t**ie**n**e**
nosotros/as	ten**emos**
vosotros/as	ten**éis**
ellos/ellas	t**ie**n**en**

LLEVAR

yo	llev**o**
tú	llev**as**
él/ella	llev**a**
nosotros/as	llev**amos**
vosotros/as	llev**áis**
ellos/ellas	llev**an**

utilizar
nadar

Miguel t**ie**n**e** el pelo corto y moreno. T**ie**n**e** los ojos negros y la nariz pequeña.

Miguel llev**a** gafas.

Tú **eres** alta y yo **soy** bajo.

SONIDOS

LA G

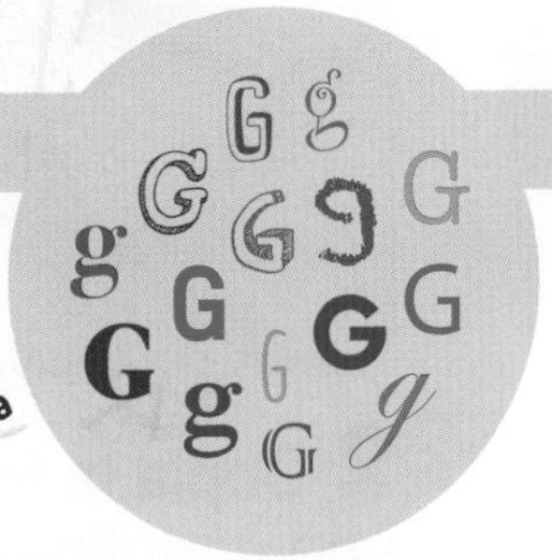

18 Escucha y repite. 12

19 Lee y marca el sonido con la letra g.

 gusano

 gato

GOMA
goma

 guitarra

 juguete

 girasol

 genio

20 Lee y responde. ¿Qué es?

Uno larguito,
dos más bajitos,
uno chiquito y flaquito
y otro gordito gordito.

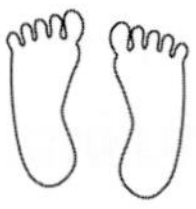 los pies

 los ojos

 los dedos

CON LAS MANOS

Mi marcapáginas

MATERIALES

- una foto divertida de cuerpo entero
- cartulina y cola de pegar
- tijeras
- una cinta, un trozo de lana de colores o un cordón de zapatos

PASO A PASO

1 Recorta tu foto de cuerpo entero.

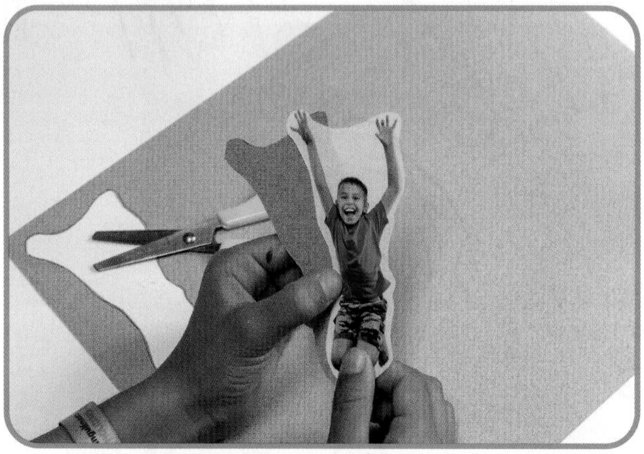

2 Copia la forma de la imagen sobre una cartulina y recórtala.

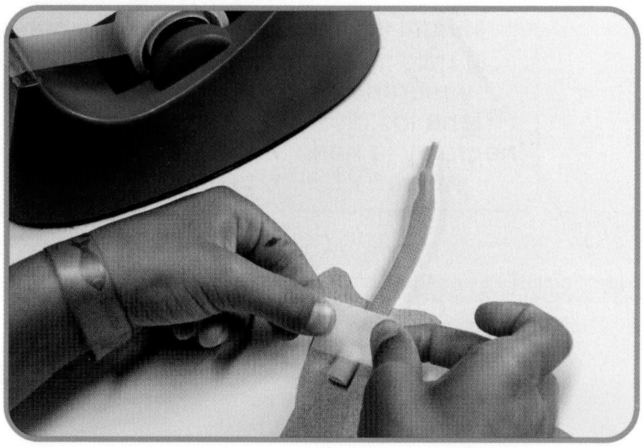

3 Pega la cinta sobre la cartulina.

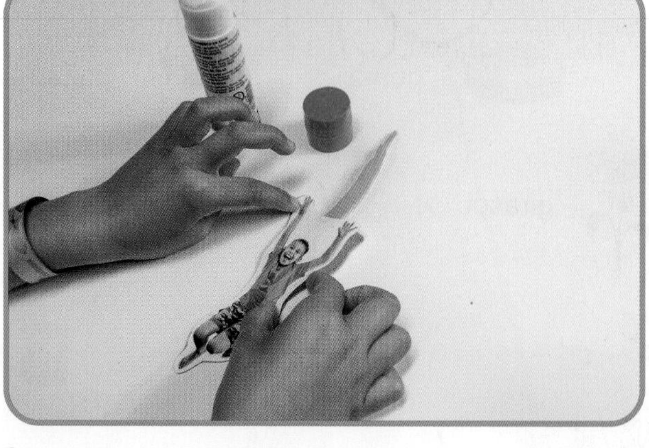

4 Pega la foto encima de la cartulina.

5 Deja secar todo muy bien y... ¡A leer un libro!

DESCUBRIR EL MUNDO

Día de Muertos

1 Mira y lee.

Esto es un esqueleto y está dentro del cuerpo. Tiene muchos huesos.

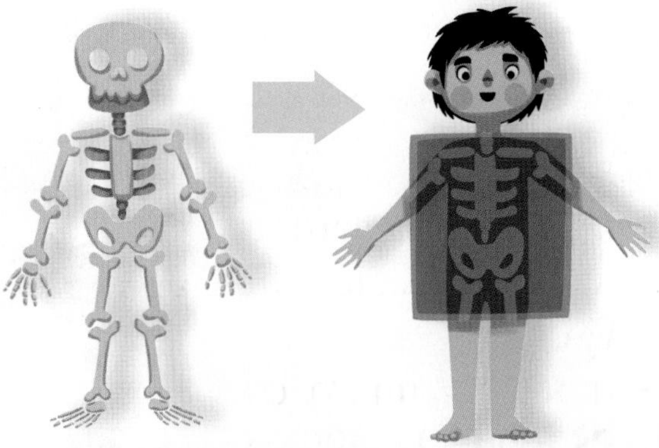

En México los niños celebramos el **Día de Muertos** y hacemos muñecos con forma de esqueletos y calaveras. ¡Es muy divertido! Ahora tú. Dibuja y pinta una calavera.

Cada familia prepara calaveras de azúcar y dulces de colores. Todo es una fiesta.

Es una tradición muy antigua para recordar con alegría a las personas que no están.

2 Recorta y monta tu esqueleto.

El ropero de Leo

13

CON LUPA 1

1 Mira y escucha. 14

2 Escucha y colorea la ropa que nombran. 15

3 Completa la frase.

En la habitación de Leo hay  una camiseta amarilla,

 ______________________ y  ______________________.

4 Lee y juega al veoveo con tus compañeros.

5 **Mira la imagen, pregunta a tres compañeros y escribe.**

	Nombre	¿Qué ropa le gusta a tu compañero?
	Lucas	A Lucas le encanta **la** camiset**a** amarill**a**.

6 **Ahora completa con la ropa que te gusta y la que no te gusta.**

A mí ______________________________

A mí no ______________________________

7 **Ahora tú** **Dibuja un armario con tu ropa, escribe y preséntalo a tus compañeros.**

Este es mi armario. Tengo unos pantalones cortos y un vestido rojo que me encanta.
Y tú, ¿qué tienes en el armario?

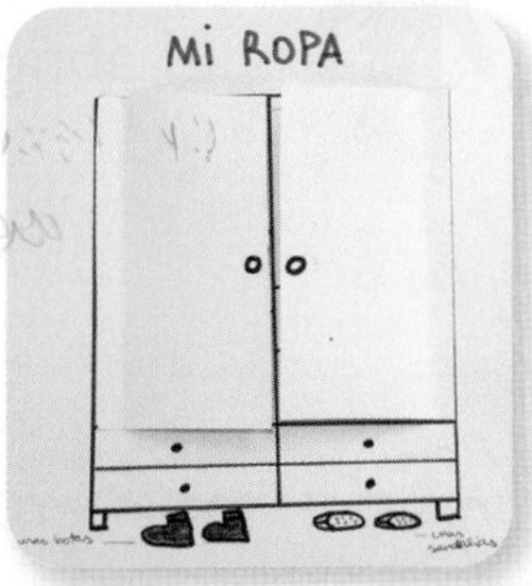

MI ROPA

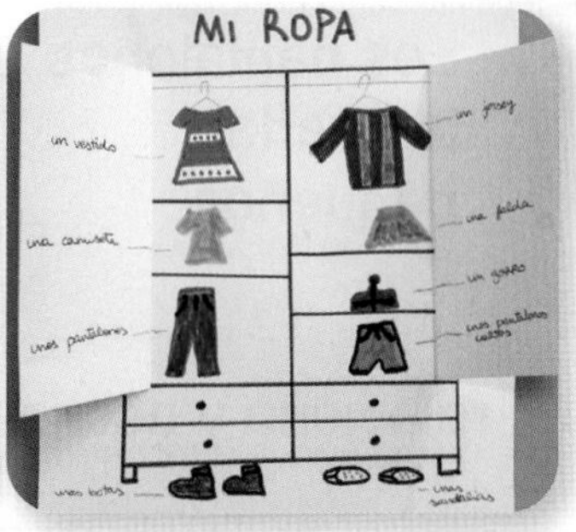

MI ROPA

Un poquito más

una gorra

un gorro

unas gafas de sol

unos guantes

un paraguas

CON LUPA 2

8 Mira y escucha. 16

9 Escucha de nuevo, lee y marca la opción correcta. 17

Puedo dar estos tenis, me quedan grandes/pequeños.

Quiero donar mi bufanda roja/blanca.

Tengo este abrigo/suéter de invierno que ya no uso.

Quiero donar este vestido, me queda grande/pequeño.

10 Mira y completa con el verbo quedar y pequeño/a/os/as o grande.

Los pantalones le quedan pequeños.

El abrigo le quedar pequeño.

La camiseta le quedar grande.

11 Lee, relaciona y escribe.

 En **primavera** hace sol.	Necesito un  un paraguas
 En **verano** hace calor.	Necesito un  un gorro.
 En **otoño** llueve.	Llevo unas  unas sandalias
 En **invierno** hace frío.	Llevo unas  gafas de sol

CON LUPA 2

12 Lee, relaciona y escribe. ¿Qué ropa llevan?

Aquí es **invierno** y hace frío. Llev**amos** abrigo, pantalones, bufand**a**, gorro y botas. 4

Es **otoño** y hoy llevo pantalon**es**, camisa y zapatill**as** de deporte. 1

Aquí es **verano** y hace calor. Llev**amos** una playera, pantalon**es** cortos, zapatill**as** de deporte o gafas de sol. 2

Es **primavera** y hoy llevo un vestido y zapatos de deporte. 3

13 Ahora tú Colorea, recorta la ropa y juega con el tío Calavera de la UNIDAD 1.

¿Qué ropa lleva el tío Calavera?

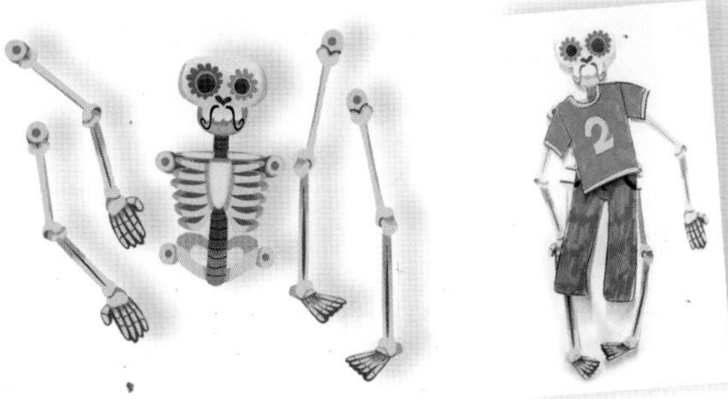

Lleva **una** camiset**a** verde y un**os** pantalon**es** azul**es**. Es verano.

14 Ahora tú Escucha, lee y canta: *No sé qué ropa llevar.*

18

Otoño, invierno,
primavera y verano
son las estaciones del año.

No sé qué ropa llevar,
no sé qué ropa llevar.
Depende del tiempo
cómo está.

Si hace frío, llevo pantalones,
jersey, gorro, botas y guantes.
Si hace calor, llevo poca ropa:
pantalón corto, camiseta
y una gorra.

Un poquito más

el sol | las nubes | la nieve | la lluvia | el viento

MIS PALABRAS

15 Mira, escucha y repite.

19

16 Mira, cuenta y escribe.

¿Cuántas prendas de ropa hay en tu clase?

sietas camisetas
ono vestido
nueve pantalones
uno suéter
uno short

17 Mira, lee y relaciona.
Después, señala qué tiempo hace hoy en tu ciudad.

Hace frío | Hace calor | Llueve | Nieva | Hace viento | Hace sol

GRAMÁTICA VISUAL

18 Lee y mira. Leer

QUERER

yo	quiero
tú	quieres
él/ella	quiere
nosotros/as	queremos
vosotros/as	queréis
ellos/ellas	quieren

Llevo unos pantalones, una camisa azul y unas zapatillas.
Yo tengo unos pantalones cortos verdes.

(A mí)	me	queda	pequeño/a grande
(A ti)	te	quedan	pequeños/as grandes
(A él/A ella)	le	gusta	la camiseta el vestido
(A nosotros/as)	nos	gustan	las botas los pantalones
(A vosotros/as)	os		
(A ellos/A ellas)	les		

¡Me quedan cortos los pantalones!

SONIDOS

LA Y

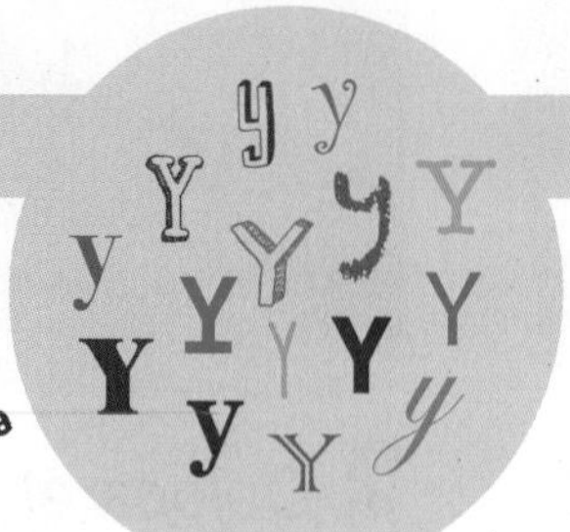

19 Escucha y repite. 20

jersey

playa

playera

rayo

payaso

20 Lee y repite.

Yo ya sé decir
ya, ye, yi, yo, yu.
Yu, yo, yi, ye, ya
sé decir yo ya.

21 Lee y escribe. ¿Qué es?

Yo me subo,
yo me bajo,
si lo adivinas,
eres muy majo.

Yoyo

CON LAS MANOS
Mi camiseta personalizada

MATERIALES
- una camiseta blanca usada
- pintura para tejido
- un pincel o una brocha
- un cartón

PASO A PASO

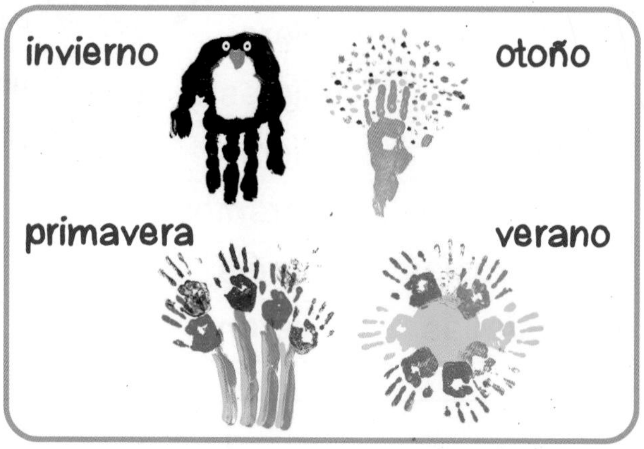

1 Elige el dibujo con la estación que más te gusta o piensa un diseño diferente.

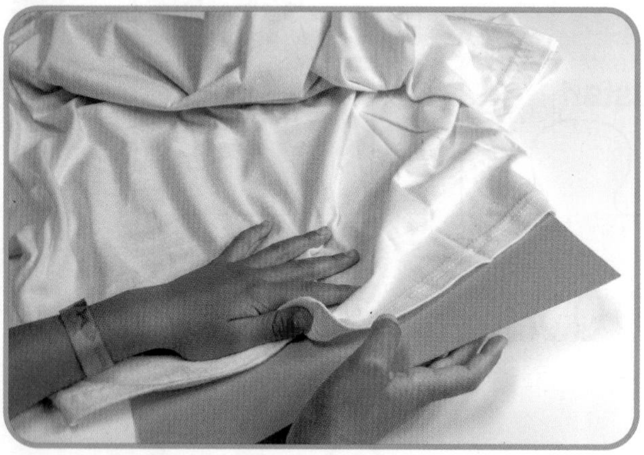

2 Coloca el cartón dentro de la camiseta.

3 Píntate la mano con pintura.

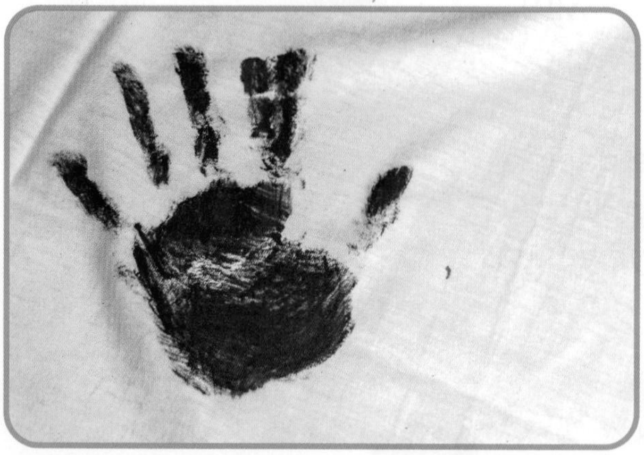

4 Presiona la mano sobre la camiseta.

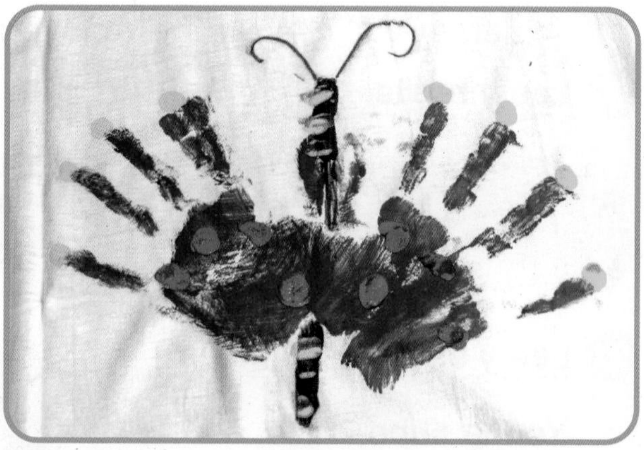

5 Completa los dibujos con los detalles y... ¡Ya tienes una camiseta nueva!

DESCUBRIR EL MUNDO

Gloria Fuertes

1 Lee.

¡Me encantan las poesías de Gloria Fuertes! ¿Sabes quién es?
¡Sí! Tiene muchas poesías para niños.

2 Mira, lee y dibuja a doña Pito Piturra.

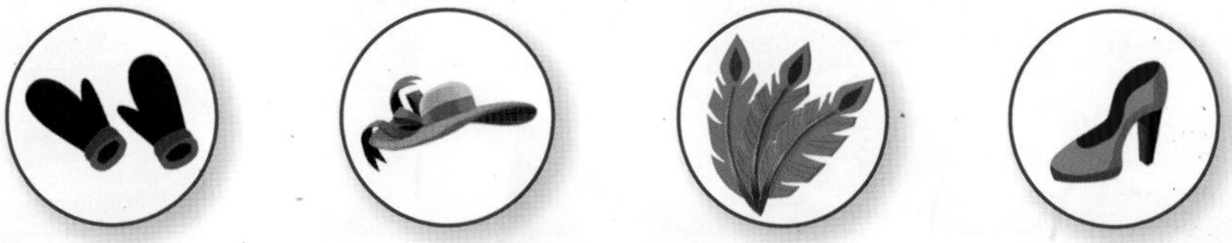

guantes sombrero plumero zapato

Doña Pito Piturra
tiene unos ,
doña Pito Piturra
muy elegantes.

Doña Pito Piturra
tiene un ,
doña Pito Piturra
con un .

Doña Pito Piturra
tiene un ,
doña Pito Piturra
le viene ancho.

Doña Pito Piturra
tiene unos ,
doña Pito Piturra
le están muy grandes.

Doña Pito Piturra
tiene unos ,
doña Pito Piturra
¡lo he dicho antes!

3 Lee, repite y graba la poesía "Doña Pito Piturra".

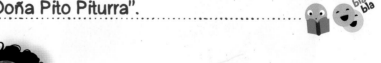

La fiesta del colegio

21

Marioneta

CON LUPA 1

1 Mira y escucha. 22

2 Mira, lee y escribe. ¿Qué hora es?

Son las nueve y cuarto.

Es la una menos diez.

1. Siete y media
2. una y cuarto
3. diez menos cuatro

3 Escucha y relaciona. 23

CON LUPA 1

4 **Ahora tú** Recorta el reloj y juega con tu compañero.

Son las **cinco** menos **veinte**.

5 Lee y pregunta a tu compañero.

¿ **A** qué hora **es** el concierto de guitarra?
A las **diez**.

ACTIVIDADES

10.00 h Concierto de guitarra
11.30 h Baile del dragón chino
12.30 h Concurso de tartas
14.15 h Flamenco y sevillanas
15.00 h Teatro de marionetas

6 Recorta y pega. ¿Qué hace Miguel en Ecuador? Dibuja las horas en los relojes y relaciona con las partes del día.

por la mañana | por la tarde | por la noche

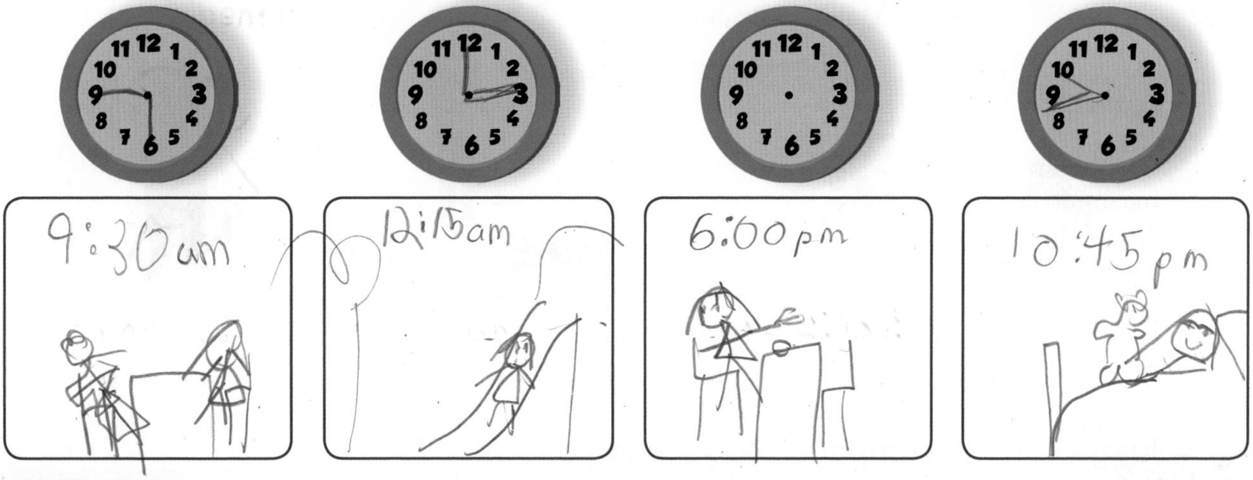

7 **Ahora tú** Dibuja y escribe un cómic sobre ti en tu cuaderno.

¿Qué haces por la mañana, por la tarde y por la noche?

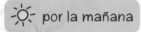

Por la tarde juego con mi hermana.

CON LUPA 2

8 Mira y escucha. 24

Marioneta

9 Lee, mira y escribe.

¿Qué **estás** haciendo, Curro?
Yo **estoy** haci**endo** fotos.
Lola **está** habl**ando** con un niño.
Y mamá **está** repart**iendo** las tartas del concurso.

¿Qué **están** haci**endo** Piñata, Abdel y Pepe?

Piñata bailando

Abdel jugando.

Pepe bebiendo.

10 Juega con tus compañeros. ¿–ando o –iendo?

REGLAS DEL JUEGO

- Escribe un verbo en un globo.
- Deja el globo en el suelo.
- Coge otro globo cualquiera y mira el verbo.
- Corre y colócate junto a la terminación correspondiente.
- ¡Juega otra vez!

Escribir
Beber
Jugar
–IENDO
–ANDO

11 Ahora tú Juega y representa un verbo de la lista.

¿Qué **está** haciendo Claire?

Está tocando la guitarra.

hacer fotos	hacer los deberes
escribir	jugar al fútbol
comer	jugar al tenis
bailar	hablar por teléfono
beber	ver la televisión
dibujar	jugar a videojuegos
tocar la guitarra	

12 Recorta, lee y forma frases.

¿A dónde vas?
Voy a la fiesta.

1. ¿A dónde **van** Lola y Min?
2. ¿A dónde **va** Miguel?
3. ¿A dónde **vamos**?

13 Escucha y marca. 25

1. ¿A dónde va Lola?
- (✓) **a.** Va al colegio.
- ( ) **b.** Va a su casa.

2. ¿A dónde va Miguel?
- (✓) **a.** Va a la pizzería.
- ( ) **b.** Va a la clase de Lola.

3. ¿A dónde va el abuelo Pepe?
- ( ) **a.** Va a la plaza.
- (✓) **b.** Va al parque.

4. ¿A dónde va Min?
- (✓) **a.** Va a la fiesta del colegio.
- ( ) **b.** Va a casa de Lola.

5. ¿A dónde va Pablo?
- ( ) **a.** Va al colegio.
- (✓) **b.** Va al concierto.

6. ¿A dónde va Rosa?
- (✓) **a.** Va a casa de Abdel.
- ( ) **b.** Va al teatro.

Un poquito más

leer → leyendo

Lola está leyendo un libro.

oír → oyendo

Abdel está oyendo pasos.

MIS PALABRAS

14 Mira, escucha y repite.

desayunar

comer/almorzar

cenar

ir al colegio

hacer los deberes

jugar al baloncesto

jugar a videojuegos

tocar la guitarra en un concierto

hacer fotos

hacer teatro/ representar

15 Recorta y juega al Memory con tus compañeros.

Están escuchando música.

Está haciendo fotos.

16 Recorta, lee, pregunta a tu compañero y escribe.

A.
¿Que **está** haciendo Lola?
B.
Lola **está** jugando al fútbol.
¿Y qué **está** haciendo Curro?

17 Ahora tú Escucha, lee y canta: *Soy un robot.*

Soy un robot y me gusta bailar,
y en mi planeta me muevo sin parar.
¿Qué haces tú?
Yo no lo sé.
Si todos cantamos,
me tengo que mover.

Estoy bail**ando** ...**ando** ...**ando**.
Estoy com**iendo** ...**iendo** ...**iendo**.
Estoy beb**iendo** limonada en el salón.
Estoy cant**ando** y aprend**iendo**
esta canción.

GRAMÁTICA VISUAL

18 **Lee y mira.**

HACER

yo	hago
tú	haces
él/ella	hace
nosotros/as	hacemos
vosotros/as	hacéis
ellos/ellas	hacen

ESTAR

yo	estoy
tú	estás
él/ella	está
nosotros/as	estamos
vosotros/as	estáis
ellos/ellas	están

jug + ando

com / escrib + iendo

Lola está hablando con Miguel.

IR

yo	voy
tú	vas
él/ella	va
nosotros/as	vamos
vosotros/as	vais
ellos/ellas	van

a + el = al

¿A dónde vas?
Voy al parque.

SONIDOS

LA C

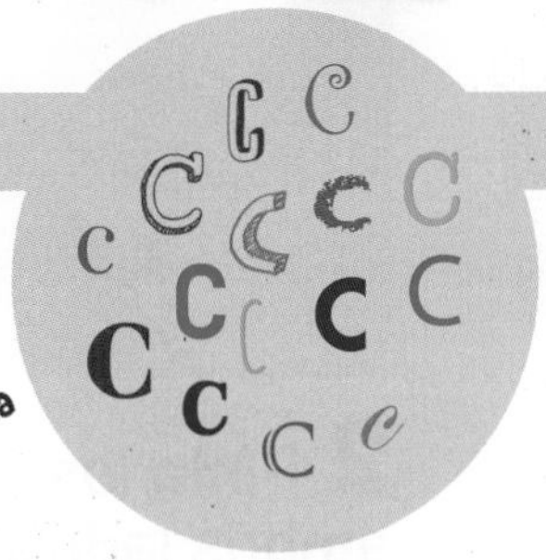

19 **Escucha y repite.** 28

20 **Tira el dado, lee y repite.**

SALIDA	1 casa	2 caballo	3 Curro	4 conejo	5 cenar	6 café	7 cinco	8 colegio
META	15 cocina	14 once	13 bicicleta	12 peces	11 cuaderno	10 caramelo	9 catorce	

21 **Lee y repite.**

El cocodrilo comilón
come y canta como un loco.
Cuando come mucho, cena poco
y luego canta una canción.

CON LAS MANOS

El juego de los aros

MATERIALES

- cinco platos de cartón blanco
- un tubo largo de cartón (de papel de cocina, de aluminio, etc.)
- un bol de plástico
- pinturas acrílicas
- tijeras

PASO A PASO

1 Recorta los platos en forma de aro.

2 Pinta los aros de colores por ambos lados y numéralos del 1 al 5.

3 Pinta de colores el tubo de cartón.

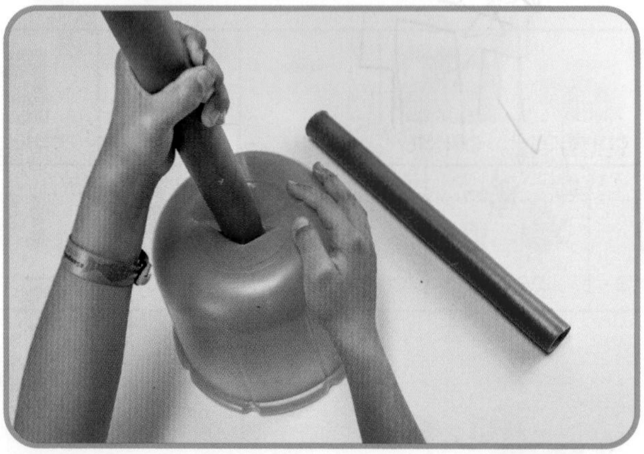

4 Corta en forma de cruz el fondo del bol y mete el tubo para que se sujete.

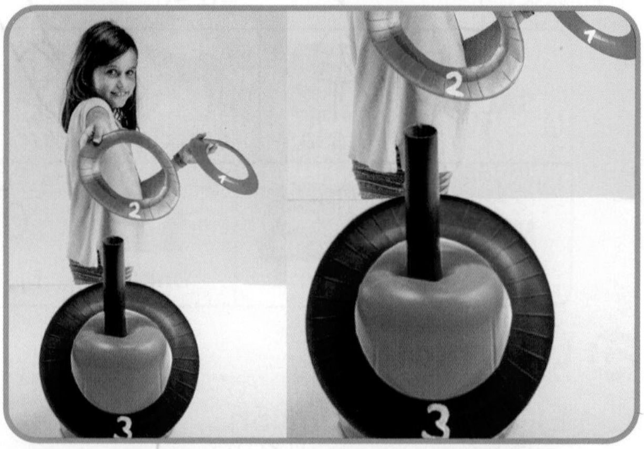

5 Y ya está todo listo para jugar.

DESCUBRIR EL MUNDO

Conocer Ecuador

¿Conoces Ecuador?
Mi país está en Latinoamérica y tiene playas, selva, montañas y unas islas muy bonitas que se llaman Galápagos.
¿Quieres saber más? Entonces, juega conmigo.

Ecuador

1 Lee, escribe y colorea.

La bandera de mi país tiene tres colores:

1. el color del sol: amarillo
2. el color del mar: azul
3. el color de las fresas: rojo

2 Lee y escribe.

En Ecuador hablamos una lengua que tiene la letra **eñe** y que también hablan Lola y Leo.

La lengua de Ecuador es el _ _ _ _ ñ _ _.

3 Lee y relaciona.

1

2

3

(2) pingüino

(3) tortuga gigante

(1) iguana

4 Lee, escucha y señala.

29

¿Sabes dónde vivo? Es la capital de Ecuador.

- a. Sevilla
- b. Quito
- c. Puebla

El barrio de Leo

30

SUPERMERCADO
HOSPITAL
Juguetes
Restaurante
60
PIZZA
39 PIZZERÍA
CINE
TAQUILLA
TAXI
TWU-54-89
TWU-77-92
30

1 Mira y escucha.

2 Escucha y relaciona.

1. ¿A dónde quiere ir Leo?
2. ¿Dónde quiere comprar cosas el abuelo?
3. ¿Dónde compran los camotes?
4. ¿Qué lugar nuevo hay en el barrio?

3 Lee y señala. ¿Qué hay en tu barrio?

Lugares	Establecimientos
⊗ edificios de pisos	⊗ tiendas de ropa ✓ restaurantes
⊗ colegios	✓ supermercados · un centro comercial
✓ casas	✓ hamburgueserías ✓ cines
✓ un hospital	
✓ parques	
✓ plazas	

4 Lee, escribe y marca.

1. ¿Cómo se llama tu barrio o la zona donde vives?
   Norwood Avenue

2. ¿Cuál es el lugar que más te gusta de tu barrio?
   parques

3. ¿Por qué?

Porque **es**...	Porque **hay**...	Porque **puedo**...
grande ✓	mucha gente ⊗	correr ⊗
pequeño/a ⊗	árboles ⊗	pasear ⊗
divertido/a ⊗	tiendas ⊗	jugar ✓
bonito/a ⊗		comer ⊗

Me gusta la plaza de mi barrio porque es grande y bonita. ¿Y a ti? Escribe la información en tu cuaderno.

CON LUPA 1

5 Haz una foto de tu barrio y preséntasela a tus compañeros.

Mi lugar favórito es el parque porque es grande y divertido. Y a tí, ¿qué lugar te gusta?

Parque Benito Juárez

Plaza del barrio del Artista

6 Lee, escribe y después compara con tu compañero.

¿Qué puedes hacer en tu barrio?	Sí ✓	No X
¿**Puedes jugar** con tus amigos en la calle?	✓	
¿**Puedes ir** al supermercado a pie desde tu casa?	✓	
¿**Puedes jugar** a la pelota en las plazas?		X
¿**Puedes** jugar a el dulces?		X

7 Ahora tú Crea un barrio de papel con tu grupo y preséntalo a tus compañeros.

Mira, en nuestro barrio hay muchos pisos, casas y tiendas. Hay un supermercado grande, una tienda de juguetes, una tienda de dulces y una pizzería. Y vuestro barrio ¿cómo es?

8 Ahora tú Escucha, lee y canta: *Me gusta pasear.*

33

Me gusta pasear
y por el barrio caminar,
y ver tantas cosas
en este lugar.

¡Cuántas calles!
Y hay mucha gente.
También hay tiendas para comprar.
Con mis amigos puedo jugar.

Y el verde nos va a indicar
que ya podemos cruzar.
Me gusta pasear
y por el barrio caminar.

Un poquito más

¿Cómo podemos cruzar la calle?

Cuando el semáforo está en verde.

Por el paso de cebra.

Siempre mirando a los dos lados antes de cruzar.

CON LUPA 2

9 Mira y escucha. 34

10 Lee, escucha de nuevo y señala la opción correcta. 35

¿Qué buscan?	○ un centro comercial	✓ un parque
¿Dónde están?	○ cerca del parque	✓ lejos del parque
¿De qué lugar hacen una foto?	✓ de una plaza	○ de un parque

11 Lee y escribe los números.

treinta

treinta y nueve

cuarenta y tres

cincuenta y cuatro

sesenta

setenta y siete

ochenta y nueve

noventa y dos

cien

CON LUPA 2

12 **Mira y escribe tres números entre el 30 y el 100 que ves en el trayecto de la escuela a tu casa.**

70 – setenta, en una señal de tráfico.

60 sesenta

82 ochenta y dos

35 triente y cinco

13 **Piensa en tu escuela, dibuja y escribe. ¿Qué hay?**

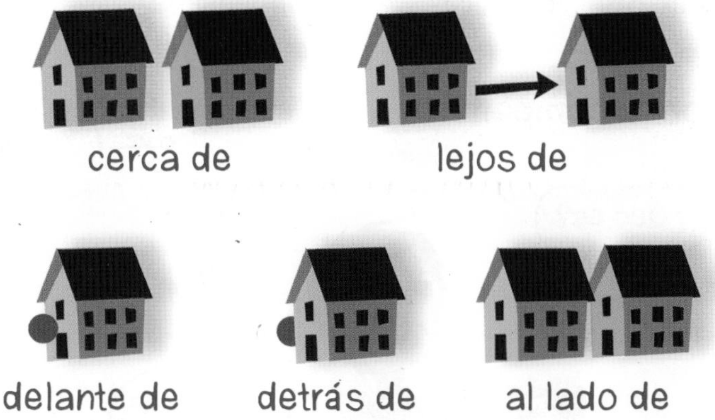

– Delante de mi escuela hay un parque.

cerca esevla mi casa.

14 **Ahora tú** **Recorta los punteros, elige un lugar del barrio de Leo y juega con tu compañero.**

Estás
+
cerca del / **de la**
delante del / **de la**
detrás del / **de la**
al lado del / **de la**
en el / **la**

¿Estás en el cine?
¡No! Estoy al lado del hospital.
¡Estás en el supermercado!
¡Sí!

Un poquito más

¡Hay números por todas partes!

en las matrículas

en las señales de tráfico

en los letreros

en las casas

MIS PALABRAS

15 Mira, escucha y repite.

36 bla bla

un edificio | un supermercado | un parque | un restaurante | un hospital | un cine

un centro comercial | una plaza | una tienda de juguetes | una tienda de dulces | una hamburguesería | una pizzería

16 Recorta, mira el mapa y juega con tu compañero.

A ver... Está al lado de la tienda de juguetes.
¿Qué es?
¿La tienda de dulces?
¡Sí!

17 Lee, escribe en los globos y juega con tus compañeros.

18 Lee y mira.

PODER

yo	puedo
tú	puedes
él/ella	puede
nosotros/as	podemos
vosotros/as	podéis
ellos/ellas	pueden

cruzar
comprar
llevar
jugar
tirar
comer
ir

Papá, ¿puedo ir con mis amigos al parque?
¡Me encanta el parque porque puedo jugar con mis amigos!

ESTAR

Estoy
Estás
Está
Estamos
Estáis
Están

de + el = del

detrás de
delante de
cerca de
lejos de
al lado de
en

la casa
el colegio
el parque
el hospital

SONIDOS

LA H

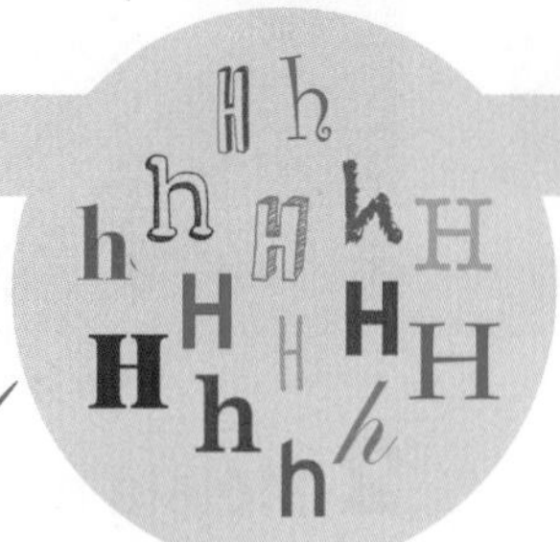

19 Escucha, repite y señala con el dedo.

padre

20 Elige dos palabras o más, escribe dos frases y después grábalas.

hamburguesería helicóptero hospital
hijo Helena Hugo hay

1. esta hospital no tengos Hamburgueseria.
2. Helena no gusta veulen la helicoptero.

CON LAS MANOS

El laberinto del barrio

MATERIALES

- la tapa de una caja de zapatos
- pajitas
- tijeras
- cartulina
- cinta adhesiva
- lápices de colores
- una bolita

PASO A PASO

1 Dibuja calles, casas y lugares de tu barrio en una cartulina formando un laberinto.

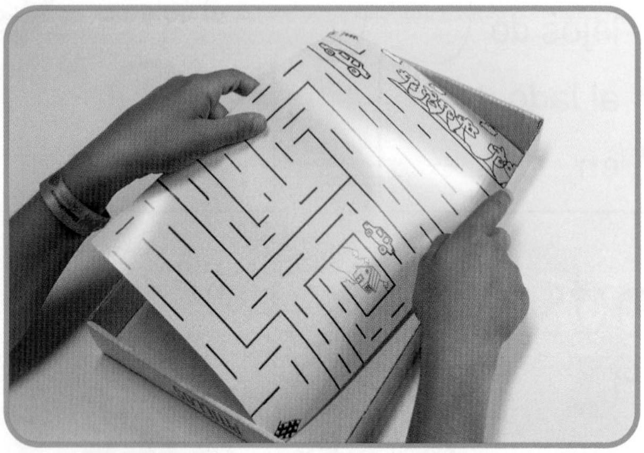

2 Métela en la tapa de la caja y pégala si es necesario.

3 Corta las pajitas en diferentes tamaños.

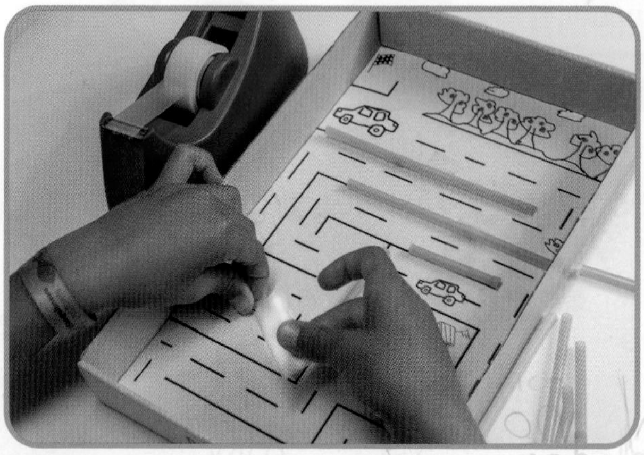

4 Pega las pajitas formando calles.

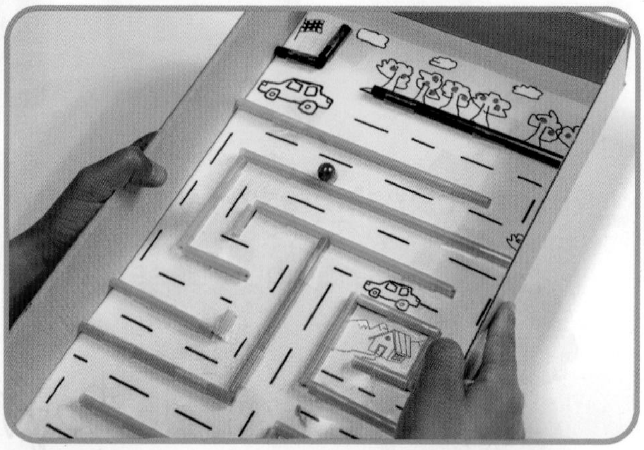

5 Ya tienes tu laberinto del barrio. ¡A jugar!

DESCUBRIR EL MUNDO

El reciclaje

1 Lee, completa las palabras con RE y encuentra la respuesta.

Para cuidar nuestro planeta tenemos que reciclar la basura.
¿Qué quiere decir este símbolo?

re_ DUCIR

re_ UTILIZAR

re_ CICLAR

2 Lee y relaciona la basura con sus contenedores. ¿Qué reciclamos?

LOS COLORES DEL RECICLAJE

1. electrónico
2. orgánico
3. vidrio
4. papel
5. metal y plástico

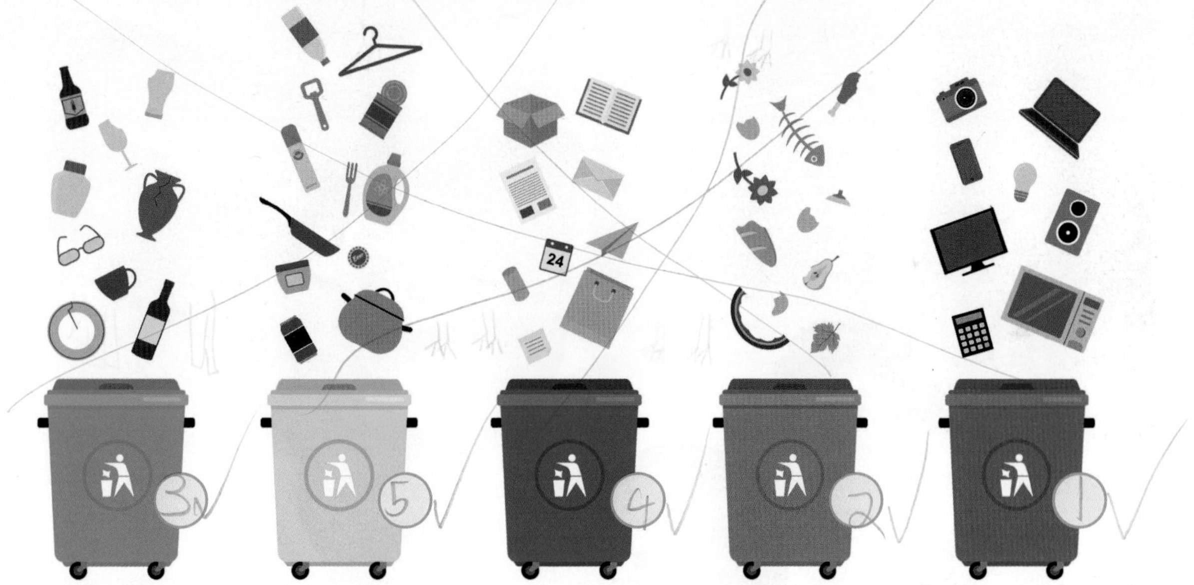

3 Crea un mural de reciclaje con tu grupo.

Vamos a reciclar nuestra basura.

MATERIALES
- cartulinas con los colores del reciclaje
- revistas
- pegamento
- rotuladores

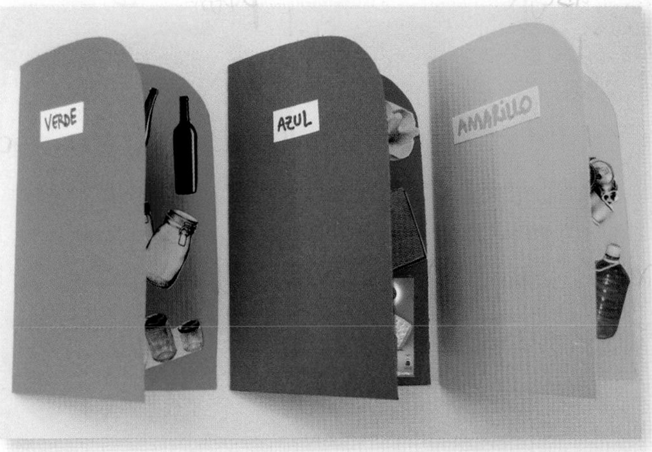

UNIDAD 5

¡Vamos a la granja! 38

CON LUPA 1

1 Mira y escucha. 39

2 Dibuja. ¿Cuántas patas tienen estos animales?

la vaca | la gallina | la oveja | la cabra | la abeja

el burro | el gallo | el pato | el caballo

3 Lee y escribe los nombres de los animales y las palabras que faltan.

patas | pico | alas | plumas | orejas | cola | cuernos

a. La cabra tiene dos cuernos.

b. La abeja tiene alas para volar.

c. El burro tiene la patas muy larga y las orejas muy grandes.

d. La gallina y el gallo tienen el cola muy pequeño, pero el pato tiene el pico largo. Y todos tienen plumas de colores.

e. La vaca, el caballo, el burro, la ovejas y la cabra tienen cuatro patas, pero la abeja tiene seis.

4 Lee los diálogos y contesta.

Niños, el martes **vamos a visitar** la granja de Genaro y Violeta. ¿Sabéis qué **vamos a hacer** allí?
Vamos a ver vacas, burros, cabras, ovejas y...
Y **vamos a visitar** las abejas en las colmenas.
También **vamos a dar** de comer a las gallinas.
No sé. Le **voy a preguntar** a Genaro.
¡Sí! Y ¿**vamos a montar** a caballo?
Yo **voy a jugar** con los patos en el estanque.

a. ¿A dónde **van a ir** Lola y sus compañeros el martes?

a la granja

b. Escribe seis animales que **van a ver** en la granja.

vaca	oveja
burro	gallina
cabra	caballo

c. Mira las fotos y escribe qué actividades **van a hacer** allí.

comer a las gallinas

vabeja en las colmenas

montar a caballo

5 Ahora tú Mira y escribe. ¿Qué va a hacer Lola este fin de semana?

el sábado	el domingo
 jugar futból	 vira el parké

el sábado	el domingo
 complanios fiesta	 vaca

Ariana

CON LUPA 2

6 Mira y escucha. 40

7 Mira y señala el producto que nos da cada animal.

 la leche el yogur el queso		✓	✓		
 la lana	✓				
 los huevos				✓	
 la miel					✓

8 Escucha y escribe las palabras que faltan. 41

Min: ¿Tenéis ovejas?
Violeta: Sí, nos dan leche y muy buena lana también.
Gustavo: ¿Y hacéis quesos?
Violeta: quesos y yogurt.
Gustavo: ¿Y las gallinas? ¿Cuántos huevos ponen?
Violeta: Un huevo al día.
Gustavo: ¿Solo uno?
Violeta: ¿Y sabéis por qué tenemos abejas?
Gustavo: Porque hacen miel.

9 Mira, lee y relaciona. Escribe las frases en tu cuaderno.

¿Dónde viven los animales?

 1  2  3  4

Las vacas viven en el establo.

4 la colmena

1 el establo

2 el gallinero

3 el estanque

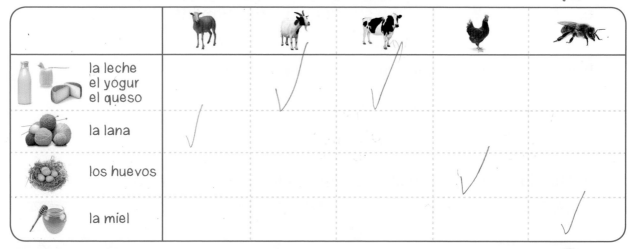

Ariana

10 Mira, lee y ordena las imágenes según las horas.

Los trabajos en la granja

	Genaro		Violeta
05.00 h	Ordeño las vacas y las cabras para sacar la leche.	07.00 h	Recojo los huevos del gallinero.
08.00 h	Doy de comer a los animales.	15.00 h	Hago quesos y yogur.
12.00 h	Limpio el establo.	**Los viernes**	visito las colmenas.

5 
4 
3 
6 
2 
1 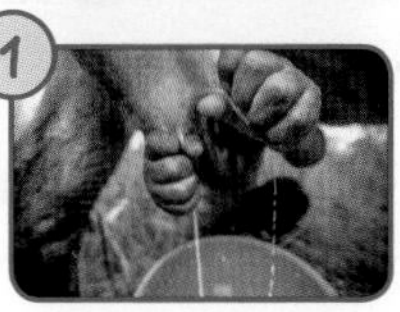

11 Lee y escribe.

a. ¿Quién ordeña las vacas y las cabras? Grenaro
b. ¿A qué hora recoge Violeta los huevos? siete
c. ¿Qué hace Genaro a las doce? limpio el establo
d. ¿Qué hace Violeta por la tarde? quesos y yogurt
e. ¿Quién visita las colmenas los viernes? Violeta

12 Ahora tú El póster de los animales de la granja.

En grupos, elegimos un animal y añadimos toda la información que conocemos:
- El nombre
- ¿Cómo es?
- ¿Dónde vive?
- ¿Qué productos nos da?
- …

Un poquito más

Las crías de los animales de la granja

la vaca / el ternero

el caballo / el potro

la oveja / el cordero

la gallina / los pollitos

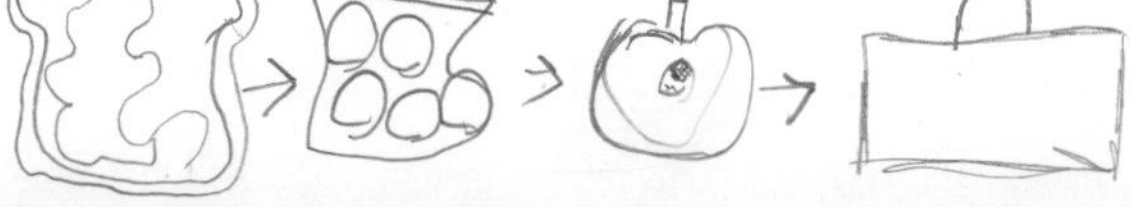

MIS PALABRAS

13 Mira, escucha y repite.

42

el caballo

el pato

el gallo

el burro

la cabra

la oveja

la abeja

la gallina

la vaca

la miel

la lana

los huevos

14 Recorta, pregunta a tu compañero y marca las respuestas.

¿Qué ponen las gallinas?
Huevos.

En el establo.	Seis.	En el estanque.	Potro.
La abeja.	En la colmena.	Huevos.	Pollito.
El queso y el yogur.	Ternero.	La oveja.	En el gallinero.

15 Marca en las páginas 56 y 57 los animales que escuches.

43

16 Ahora tú Escucha, lee y canta: *La cumbia de la granja.*

44

Vamos a cantar
y todos a bailar.
La cumbia de
la granja
está por empezar.

Primero la oveja
vestida de lana
toca las maracas,
bala que bala.
Después la vaquita,
doña Blanquita,

viene solita
y no dice ni mu.
El caballo Tito
trae a los patitos
y un pío–pío
cantan los pollitos.

¿Tú quieres bailar?
Dame la mano
¡vamos a empezar!

GRAMÁTICA VISUAL

17 Lee y mira.

RECOGER	
yo	recojo
tú	recoges
él/ella	recoge
nosotros/as	recogemos
vosotros/as	recogéis
ellos/ellas	recogen

DAR	
yo	doy
tú	das
él/ella	da
nosotros/as	damos
vosotros/as	dais
ellos/ellas	dan

Le doy agua a mi potrillo.

	IR		
yo	voy	a	ordeñar
tú	vas		limpiar
él/ella	va		montar
nosotros/as	vamos		...
vosotros/as	vais		
ellos/ellas	van		

¿Vamos a ordeñar las cabras?

SONIDOS

LA V

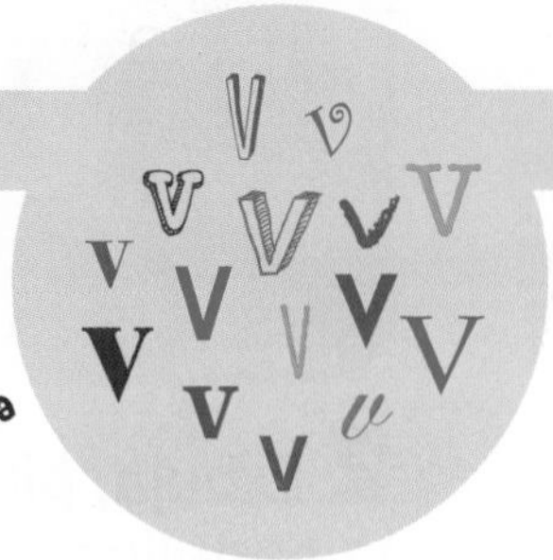

18 Escucha y repite. 45

19 Mira, lee y escribe va, ve, vi, vo, vu.
Después, escucha y comprueba. 46

 ____ntana

 ____rde

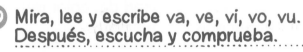

 ____ca

 u____

 llu____a

 pa ____

 ____ento

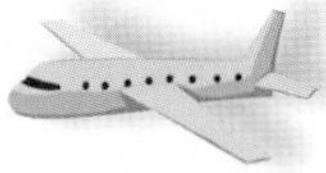 a____ón

20 Lee y repite.

Una vaca que come con cuchara
y que tiene un reloj en vez de cara,
que vuela y habla inglés,
sin duda alguna es
una vaca rarísima, muy rara.

Zoo loco de María Elena Walsh.
Fariña Editores, 1965.

CON LAS MANOS

Mi animal portalápices

MATERIALES

- una botella de plástico
- cartulina
- lápices y rotuladores
- tijeras
- pinturas y pinceles
- pegamento

PASO A PASO

1 Elige un animal.

2 Dibuja, pinta y recorta su cara en la cartulina.

3 Pinta una botella de plástico cortada por la mitad del color del animal que has elegido.

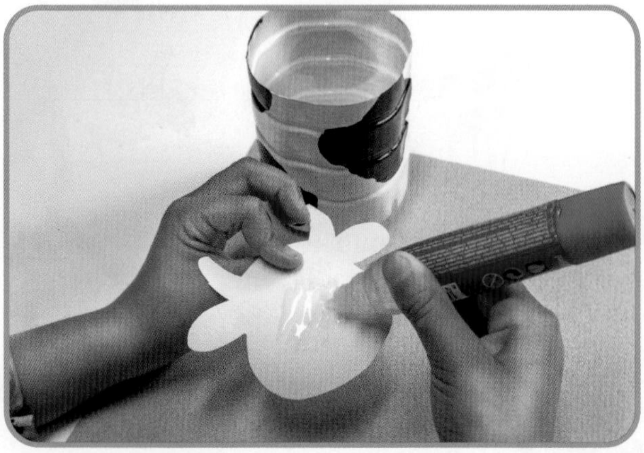

4 Pega la cara en la botella.

5 Añade detalles: bigotes, cola, orejas... ¡Y ya tienes tu animal portalápices!

DESCUBRIR EL MUNDO

La vida de campo en el arte

1 Mira y lee.

Con su permisio don, 1928

Escuelita criolla, 1940

¿Qué ves en estos cuadros?
¿Qué animales hay?
¿Qué cuadro te gusta más?

Florencio Molina Campos era un pintor argentino. Pintaba sobre la vida en el campo hace muchos años.

Tarsila Do Amaral era una artista brasileña. Pintaba las personas, los animales y el campo de su país de muchos colores.

¿Qué pinta en sus cuadros?
¿Qué colores ves?
¿Qué cuadro te gusta más?

La feria II, 1925

Paisaje con toro, 1925

2 Busca hojas y ramas secas de árboles, semillas y flores. Píntalas por detrás con colores y crea tu paisaje de campo.

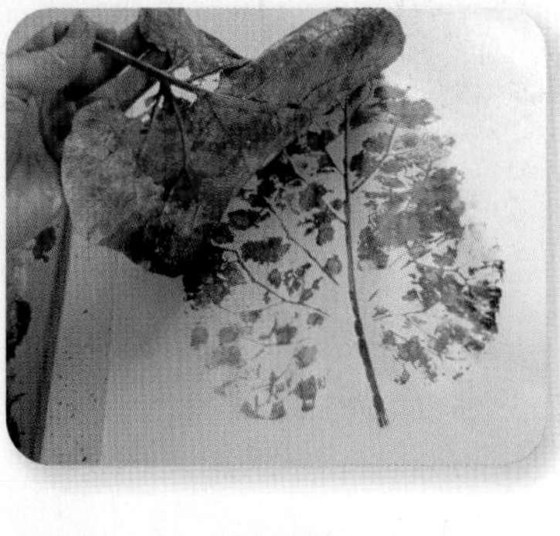

Vacaciones en México

47

HELADOS

CON LUPA 1

1 Mira y escucha. 48

2 Recorta y pega los medios de transporte en el lugar adecuado.

3 A. Mira y lee.

Mamá, ¿cómo viaja papá de México a España?
En avión.
de
en
a

B. Recorta y forma frases con estos elementos.

1. Lola / Sevilla / Madrid / tren
2. Tío Calavera / Puebla / Veracruz / coche
3. Felipe / Puebla / Tijuana / avión

4 Lee, recorta y compara los medios de transporte.

un avión

grande

pequeño

una bicicleta

nueva

vieja

un coche

rápido

lento

un viaje

divertido

aburrido

Viajar en  es **más** divertido **que** viajar en .

Esta  es **más** grande **que** esta .

5 Lee y marca. ¿Qué es?

1. Es un medio de transporte terrestre. Tiene cuatro ruedas y un motor. Es más pequeño que un avión y pueden viajar muchas personas. En México se llama "camión".

   - ◯ coche
   - ◯ autobús
   - ◯ moto

2. Es un medio de transporte muy rápido y muy grande. Va por el aire y tiene dos alas.

   - ◯ helicóptero
   - ◯ globo
   - ◯ avión

3. Es un medio de transporte terrestre y tiene dos ruedas. Es más pequeño que una moto, más lento que un coche y no tiene motor. Puede ser de muchos colores diferentes.

   - ◯ bicicleta
   - ◯ autobús
   - ◯ tren

6 Ahora tú Construye con tus compañeros un medio de transporte con material reciclado. Después, preséntalo en clase.

Nuestro avión es de plástico y cartulina roja. Tiene dos alas y un motor. Es pequeño y muy rápido.

www.manualidadesinfantiles.org

Un poquito más

la rueda

el motor

el ala

la vela

el vagón

CON LUPA 2

7 Mira y escucha. 49

8 Escucha y marca los planes de Leo y su familia. 50

◯ hacer una excursión

◯ montar en bici

◯ bailar

◯ comer en una taquería

◯ ir al acuario

◯ ir al cine

9 Ahora tú Lee y habla con tu compañero.

- el fin de semana
- el sábado
- el domingo
- esta tarde
- después de clase
- ...

¿Qué planes tienes el domingo?
Voy a ir a casa de mi abuela. ¿Y tú? ¿Qué vas a hacer esta tarde?
Voy a ir a la fiesta de mi amiga Clara. Es su cumpleaños.

10 Lee y completa este diálogo entre Lola y su madre. Después, escucha y comprueba.

51

(1) Hola, Lola. ¿Qué tal las vacaciones?

(2) ________, mamá. ________ es muy bonito.

(3) ¿Estás en ________ de los tíos?

(4) No, ahora estamos en Veracruz. En un ________. ¡Y tiene ________!

(5) ¡Qué bien, Lola! ¿Y qué tal con Leo y Sara?

(6) ¡Genial! Con Leo ________ y con Sara ________ en el karaoke. Es superdivertido.

(7) ¿Y qué planes tenéis? ¿Qué vais a hacer?

(8) Mañana ________ y el fin de semana ________ tacos en una taquería.

(9) ¡Fantástico! ¿Vas a hacer ________?

(10) ¡Claro, mamá! ¡Muchas! ________.

(11) ________, Lola. Un ________.

11 Dibuja las fotos de tus vacaciones y escribe qué haces.

12 Ahora tú Escucha, lee y canta: *El rock de los transportes.*

52

En las vacaciones
me gusta viajar
por tierra, por aire
y también por mar.

Voy con mi familia
de aquí para allá
y con los transportes
vamos a jugar.

Yo viajo en tren, bien bien
en avión también,
a veces en coche,
a veces a pie.

Yo voy en bus bus bus
en barco también.
Tengo muchas ganas
de pasarlo bien.

Un poquito más

hacer surf

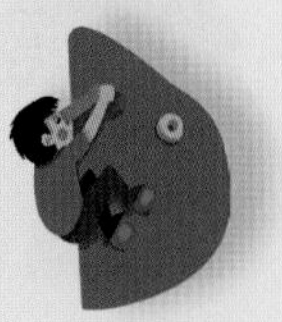
hacer escalada

montar en monopatín

patinar

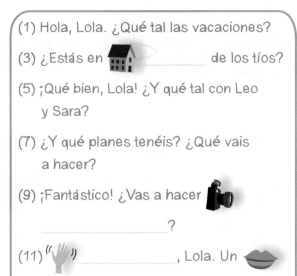

MIS PALABRAS

13 Mira, escucha y repite.

un barco | **un** avión | **un** tren | **un** autobús/ **un** camión | **una** moto

hacer **una** excursión | montar en bici | nadar en **la** piscin**a**/ **la** alberc**a** | ir a **la** play**a** | ir **al** cine

14 Ahora tú Escucha, lee y canta: *La canción de los transportes.*

Yo tengo un tren que va para adelante.
Yo tengo un tren que va para atrás.
Adelante, para atrás.
Adelante, para atrás.
Adelante, adelante, adelante.
Atrás, atrás, atrás.

Yo tengo un avión que va para arriba.
Yo tengo un avión que va para abajo.
Arriba, abajo.
Arriba, abajo.
Arriba, arriba, arriba.
Abajo, abajo, abajo.

Yo tengo un barco que va a la derecha.
Yo tengo un barco que va a la izquierda.
A la derecha, a la izquierda.
A la derecha, a la izquierda.
A la derecha, a la derecha, a la derecha.
A la izquierda, a la izquierda, a la izquierda.
Yo tengo un coche y ya se acabó.

15 Juega con tu compañero. ¿Qué medio de transporte es?

¿Es un transporte terrestre?
Sí.
¿Es pequeño?
Sí.
¿Es más pequeño que una bicicleta?
No.
¿Es una moto?
¡Muy bien!

GRAMÁTICA VISUAL

16 Lee y mira.

Ir...

a pie

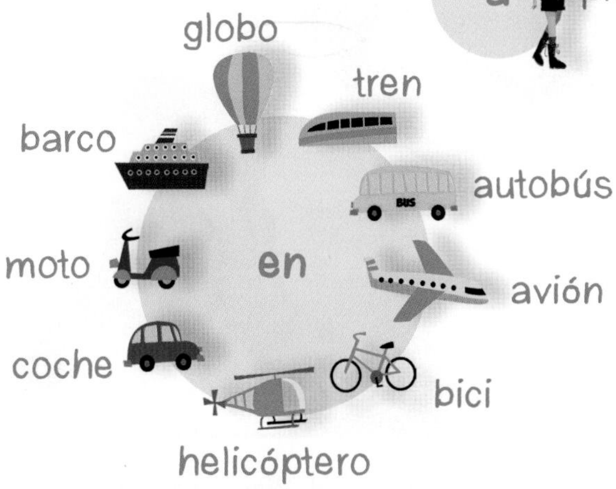
globo
tren
barco
autobús
moto
en
avión
coche
bici
helicóptero

Vamos
a
patinar

¿Qué planes tenemos mañana? ¿Qué vamos a hacer?
Vamos a ir a la playa y vamos a nadar en el mar.

más ... que ...

El autobús es **más** grande **que** la moto.

de ... a ... en...

¿Cómo viaja papá **de** México **a** España?

en avión.

SONIDOS

LA B

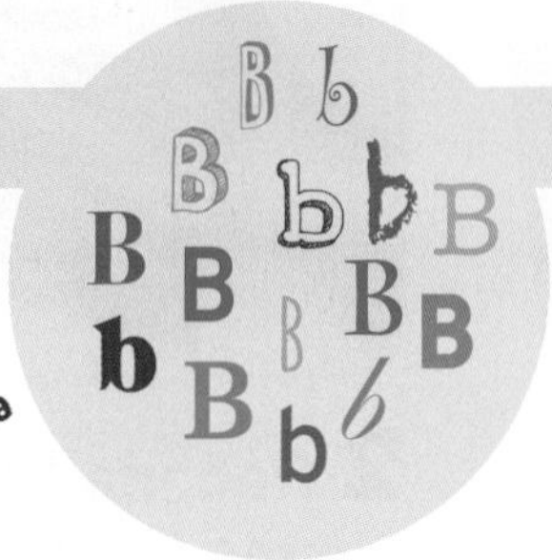

17 Escucha y repite. 55

18 Lee.

barco	**be**so	**bi**cicleta	**bo**ca	**bu**eno
banana	**be**bida	**bi**gote	**bo**lígrafo	**bu**rro

19 Lee. ¿Quién es?

El papá de **B**ea tiene cinco hijas:

Ba **B**á,

Be **B**é,

Bi **B**í,

Bo **B**ó,

y ______________.

CON LAS MANOS
Mi pasaporte

MATERIALES

- una cartulina pequeña
- una hoja de papel
- una foto de carné pequeña
- cuerda
- rotuladores o pinceles
- fotos de países y monumentos
- tijeras

PASO A PASO

1 Recorta una cartulina con la forma de un pasaporte y dóblala por la mitad.

2 Recorta hojas de papel del mismo tamaño y ata una cuerda alrededor.

3 Escribe la palabra "Pasaporte" en la tapa y dibuja el globo del mundo.

4 En la primera página pega tu foto y completa la información.

5 Decora el resto del pasaporte con sellos, banderas, fotos... Y ya tienes tu pasaporte para viajar con Lola y Leo.

DESCUBRIR EL MUNDO

La naturaleza en México

1 Mira y lee.

México es un país con una naturaleza increíble y lugares maravillosos para ir de vacaciones.
Es verdad. México es muy bonito.
Aquí hay de todo: playas, montañas, lagos, ríos, cascadas, volcanes y desierto.

El lago Escondido

El volcán Paricutín

El desierto de Sonora

La cascada de Tamul

La montaña de Orizaba

Playa Esmeralda

2 Busca y pega dos fotos de tu país y escribe.

¿Dónde está?
¿Cómo se llama?
¿Qué es?
¿Cómo es?

RE-
COR-
TA-
BLES

1 Escucha y contesta. Después recorta y representa.

Lola

Lola: Hola, Leo. ¿Qué tal?
Lola: ¡Muy contenta! ¡Tengo una sorpresa!
Lola: ¡Voy a ir a México en vacaciones!

(Ruidos de coches, bocina...)

Lola: ¿Dónde estáis?
Lola: ¡Claro! ¡Hasta luego! Un besito...

Leo

Leo: ¡Bien! ¿Y tú?
Leo: A ver... ¿Cuál es?
Leo: ¿En serio? Mamá, ¡Lola viene en vacaciones!

(Ruidos de coches, bocina...)

Leo: Estamos en el carro.
Leo: Lola, después hablamos. Llegamos a la escuela.
Leo: ¡Adiós!

Lupe

Lupe: Sí, ya lo sé. Hablamos con tu tía Rosa.

(Ruidos de coches, bocina...)

Lupe: Leo, llegamos.

6 A. Recorta, lee y responde.

7 Recorta las tarjetas y juega con tu compañero.

16 Recorta y juega con tus compañeros.

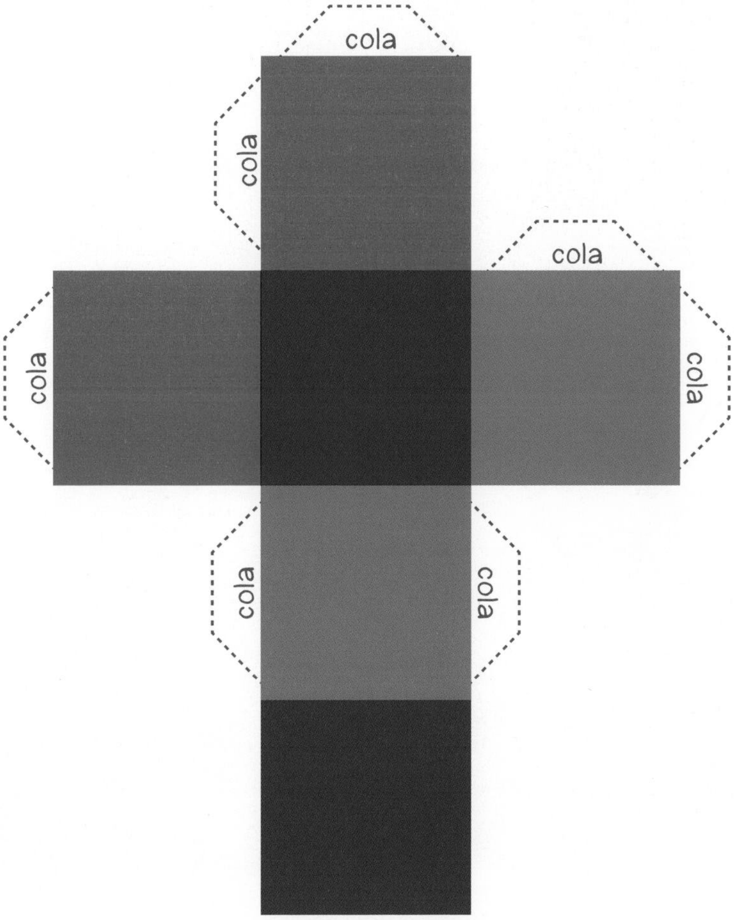

la mano derecha

la mano izquierda

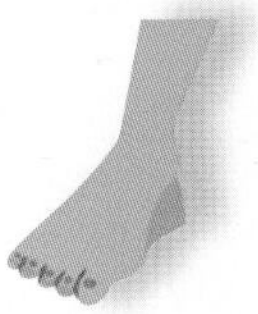
el pie derecho

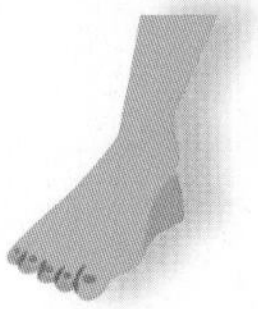
el pie izquierdo

2 Recorta y monta tu esqueleto.

13 Ahora tú Colorea, recorta la ropa y juega con el tío Calavera de la UNIDAD 1.

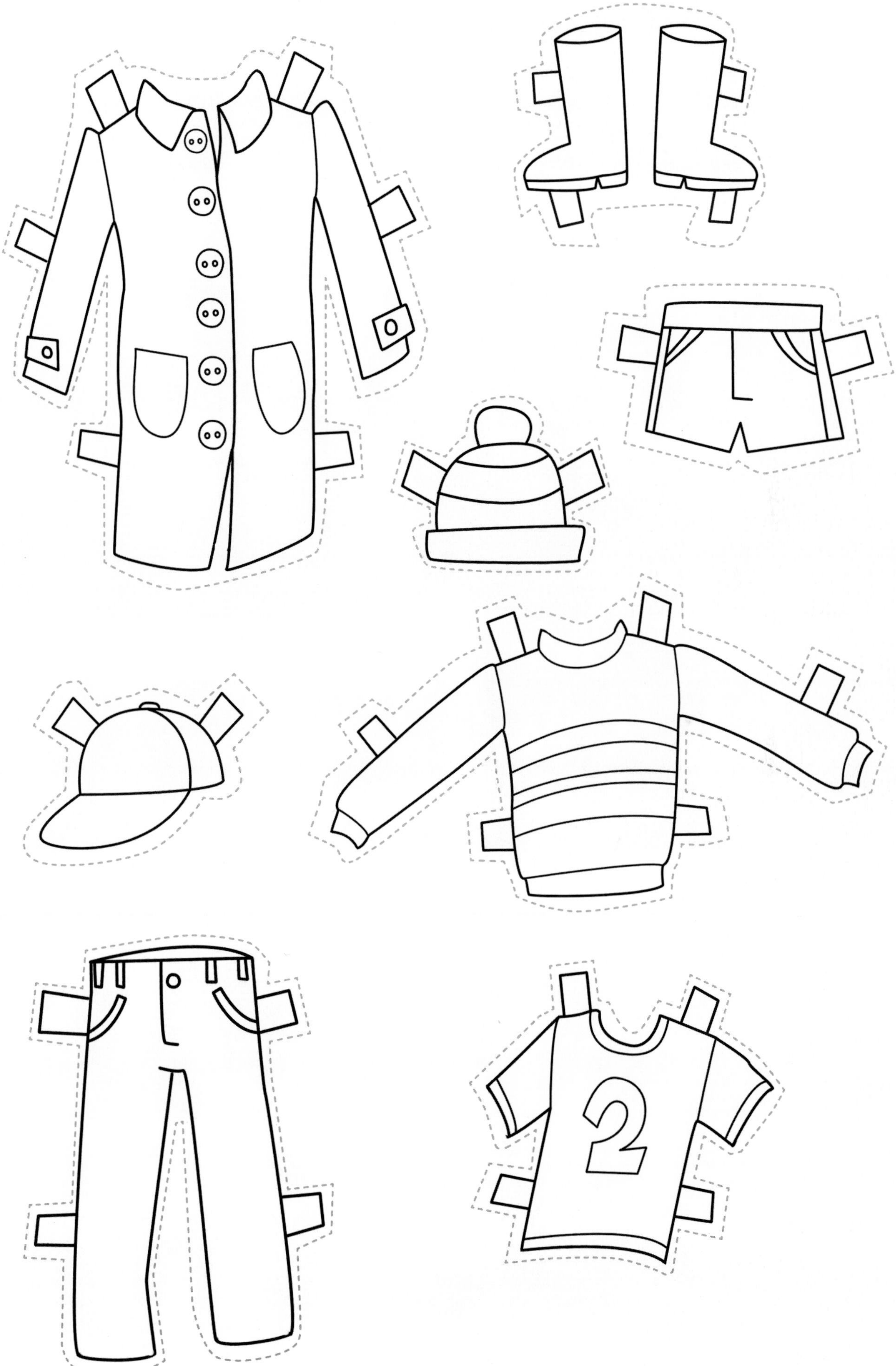

4 **Ahora tú** Recorta el reloj y juega con tu compañero.

6 Recorta y pega. ¿Qué hace Miguel en Ecuador?
Dibuja las horas en los relojes y relaciona con las partes del día.

12 Recorta, lee y forma frases.

Lola y Min	Ellos	Miguel	Nosotros	va	van	vamos
a	la	al	colegio	teatro	casa	fiesta

15 Recorta y juega al Memory con tus compañeros.

Está jugando al fútbol.	Está haciendo fotos.	Están comiendo.	Están jugando al baloncesto.	Está bailando.
Están tocando la guitarra.	Está escribiendo.	Están escuchando música.	Está desayunando.	Están cenando.

16 Recorta, lee, pregunta a tu compañero y escribe.

A

1. Lola ____________________.
2. 
3. Lola y Miguel ____________.
4. 
5. Rosa ____________________.
6. 
7. Min ____________________.
8. 

B

1. 
2. Pablo ____________________.
3. 
4. El abuelo Pepe __________.
5. 
6. Curro ____________________.
7. 
8. Abdel ____________________.

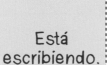

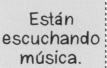

14 **Ahora tú** Recorta los punteros, elige un lugar del barrio de Leo y juega con tu compañero.

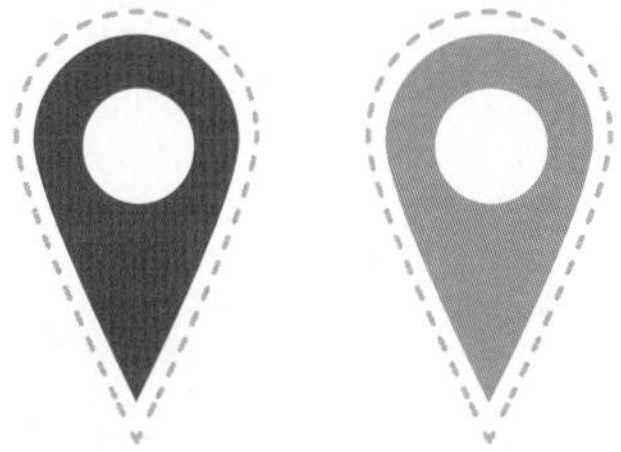

16 Recorta, mira el mapa y juega con tu compañero.

14 Recorta, pregunta a tu compañero y marca las respuestas.

¿Qué ponen las gallinas?	¿Dónde viven las vacas?	¿Cómo se llama la cría de la gallina?	¿Quién nos da la lana?
¿Cómo se llama la cría del caballo?	¿Qué productos se hacen con la leche?	¿Dónde viven las abejas?	¿Cómo se llama la cría de la vaca?
¿Dónde viven las gallinas y los gallos?	¿Cuántas patas tienen las abejas?	¿Quién hace la miel?	¿Dónde nadan los patos?

4 Lee, recorta y compara los medios de transporte.